HAZ MÁS Y MEJOR

HAZ MÁS Y MEJOR

Tim Challies

Dedicado a Paul Martin:
el amigo ideal

EDITORIAL MUNDO HISPANO

Editorial Mundo Hispano

7000 Alabama Street, El Paso, Texas 79904, EE. UU. de A.

www.editorialmundohispano.org

Nuestra pasión: Comunicar el mensaje de Jesucristo y facilitar la formación de discípulos por medios impresos y electrónicos.

Traductor: Pere L. Gómez

Diseño de la cubierta: Iliana Werge

Primera edición: 2017

Clasificación Decimal Dewey: 248

Tema: Vida cristiana

ISBN: 978-0-311-46145-5

EMH Núm. 46145

3 M 4 17

Impreso en Colombia

Printed in Colombia

CONTENIDO

INTRODUCCIÓN

Creo que este libro puede mejorar tu vida. Es una afirmación atrevida, lo sé, pero si no creyera que es así no merecería la pena el tiempo que he dedicado a escribirlo o el que tú vas a destinar a leerlo. Lo he escrito porque quiero que consigas hacer más y mejor y porque creo que puedes hacerlo. Seas profesional o estudiante, pastor o fontanero, seas un padre que trabajas desde casa o una madre que se ocupa de su hogar y de sus hijos, lo que voy a decir te concierne.

No quiero que hagas más cosas, que te impliques en más proyectos o que termines más tareas, no necesariamente; tampoco quiero que trabajes más horas o que pases menos tiempo con tu familia y amigos. Quiero que hagas más de las cosas que más importan, quiero que hagas el bien a otras personas, y quiero que todo ello lo hagas mejor. Esto es lo mismo que quiero para mí.

Me pregunto si alguna vez has tenido este incómodo sentimiento de que estás desatendiendo por lo menos algunas responsabilidades de la vida. Es una sensación familiar para mí. Hace poco vi un episodio de un antiguo programa de variedades en el que aparecía un malabarista de platos chinos. Comenzó haciendo girar uno de los platos sobre la varilla y, cuando consiguió la aceleración adecuada, hizo lo propio con un segundo plato, un tercero, un cuarto y así sucesivamente. En un momento volvió la vista hacia el primero que se estaba desacelerando y comenzaba a cabecear. Apenas había conseguido reequilibrarlo, hubo de apresurarse para hacer lo mismo con el segundo y con todos los demás, yendo de acá para allá en círculos, a fin de mantener una docena de platos girando sobre sus varillas sin que se cayeran. ¿Alguna vez has sentido que tu vida era así?

No tiene por qué serlo, no debería serlo. Tú (sí, ¡hasta tú!) puedes llevar una vida tranquila y ordenada, seguro de tus responsabilidades y confiado en tu progreso. Puedes acostarte por la noche y dormir tranquilo.

Hace miles de años un hombre llamado Salomón, rey de Israel, escribió estas palabras:

En vano se levantan de madrugada
y van tarde a reposar
comiendo el pan con dolor;
porque a su amado dará Dios el sueño
(Salmos 127:2).

Aun este rey, que gobernaba toda una nación, administraba una inconcebible fortuna y dirigía espectaculares proyectos de construcción, pudo librarse del estrés y la ansiedad, descansar de su trabajo y disfrutar de un sueño reparador. ¿Por qué, pues, se nos hace tan difícil a nosotros con nuestras insignificantes vidas?

A lo largo de los años he invertido mucho tiempo y esfuerzo en entender la productividad y la capacidad de conseguir resultados. Me gusta sacarle el máximo partido a mi tiempo y energía y estoy constantemente ajustando aquellas ideas, herramientas y sistemas que me ayudan a seguir en esta línea. De vez en cuando, hasta consigo enseñar estas cosas a otras personas para ayudarles a hacer más y mejor; es siempre emocionante verles entender y vivir estos principios.

En este libro quiero compartir algunas de las cosas que he ido aprendiendo a lo largo de los años, porque creo que pueden ayudarte a aprender más de lo que sabes ahora sobre vivir una vida productiva. No quiero decir con esto que sea un experto en todas estas cosas. A medida que avanzo sigo aprendiendo y haciendo pequeños retoques. Pero sí puedo decirte con confianza que lo que voy a enseñarte funciona. Ha puesto orden en mi caos y dado dirección a mi falta de rumbo. También les ha funcionado a otras muchas personas.

La mejor forma que conozco de enseñar estos principios es abrir mi vida y dejarte entrar un poco a ella. Te mostraré lo que he aprendido: cómo utilizo mis herramientas, construyo mis sistemas y consigo sacar mis tareas adelante. Creo que la mejor manera de aprovechar este libro es leer, observar e imitar, al menos al principio; con el tiempo, adaptarás inevitablemente aquellos consejos que te sean especialmente útiles y descartarás los demás. Si consigo estimular tu pensamiento para que puedas hacer más y mejor, consideraré que este libro ha sido un gran éxito.

Y ahora, ¡a trabajar!

UNO

CONOCE TU PROPÓSITO

Puede que estés leyendo este libro porque sientes que tu vida es un caos y deseas introducir algún tipo de orden; o quizá lo estés haciendo porque has asumido demasiadas responsabilidades y buscas algún consejo sobre lo que debes priorizar; o puede que seas de los que están siempre pendientes de considerar otro consejo o truco que pueda hacerte un poco más eficiente: todas ellas son buenas razones y, sea cual sea la tuya, creo que en este material encontrarás algo que pueda ayudarte.

Sin embargo, antes de entrar en las cuestiones realmente prácticas, tú y yo hemos de trabajar todavía un poco. Aunque te sientas tentado a saltarte este capítulo, te pido que te resistas a hacerlo, pues una pequeña inversión de tiempo y atención en este momento te ayudará a echar los cimientos para todo lo que sigue. Si pasas a los capítulos 5 o 6 para acceder directamente a las cuestiones más atractivas puede que estés demostrando que lo que buscas son soluciones rápidas más que cambios permanentes.

Así que acompáñame a considerar algunas cosas importantes en este capítulo que tenemos por delante.

EL FUNDAMENTO

Nadie me ha acusado jamás de ser muy habilidoso. Me las arreglo con cosas básicas (colgar cuadros o dar una mano de pintura), pero cuando hay que hacer algo más dependo totalmente de mi suegro o de un profesional. Cuando oigo a mis amigos hablando de colocar paneles de yeso, de reparaciones de electricidad o fontanería, o de poner una puerta, me retiro sigilosamente de la conversación porque sé reconocer cuando algo está fuera de mis posibilidades.

Nunca he mirado lo que hay dentro de las paredes de mi casa, pero sé que si lo hiciera encontraría una estructura de vigas, postes y columnas; también sé que si bajara al sótano y retirara los paneles de yeso se pondrían al descubierto unos cimientos. Estos son los elementos que sostienen y cohesionan mi casa, y de ellos depende la solidez de la vivienda. Lo que sigue en este capítulo es el fundamento de la productividad. La productividad (la de verdad) nunca será mejor o más sólida que el cimiento sobre el que la construyas. Asegurémonos, pues, de estar construyendo sobre un fundamento sólido.

PRINCIPIOS DE PRODUCTIVIDAD

Entender qué es la productividad ha de comenzar necesaria-mente con una comprensión de la razón por la que existes. La productividad no es lo que va a dar propósito a tu vida, sino lo que te capacitará para vivir con excelencia ese propósito.

Vamos a revisar algunos principios de productividad mediante una serie de preguntas y respuestas. Solo después de entender estas cuestiones fundamentales sobre el propósito y la misión que Dios te ha encomendado estarás preparado para ponerte a trabajar. La primera pregunta es:

P1. En última instancia, ¿por qué te creó Dios?

R. Dios te creó para darle gloria.

Esta es la pregunta que todos nos hacemos en uno u otro momento de la vida, ¿verdad? ¿Por qué estoy aquí? ¿Por qué estoy aquí en lugar de no estarlo? ¿Por qué me creó Dios? La Biblia tiene una respuesta: "Porque de él y por medio de él y para él son todas las cosas. A él sea la gloria por los siglos" (Rom. 11:36). Todas las cosas existen para dar gloria a Dios, y esto incluye a cada uno de nosotros, te incluye a ti.

Dios te creó para poder recibir gloria de ti y por medio de ti. Esta es una verdad extraordinaria y profundamente humillante, que al ser entendida y aplicada transforma todos los aspectos de tu vida. En pocas palabras, tú no eres el objetivo ni el protagonista de tu vida, así que si vives para ti mismo (tu comodidad, tu gloria, tu fama) vas a pasar por alto el propósito de la misma: Dios te creó para darle gloria a él.

P2. ¿Cómo puedes glorificar a Dios en tu vida diaria?

R. Puedo glorificar a Dios en mi vida diaria haciendo buenas obras.

Puede que te sientas cómodo con esta idea de que Dios te creó para darle gloria, pero la pregunta sigue siendo: ¿qué significa realmente darle gloria? ¿Tienes que dejar tu trabajo y hacerte pastor? ¿Tienes que empacar tus cosas y trasladarte como misionero al otro lado del mundo, a las regiones más remotas y peligrosas? ¿Solo glorificas de verdad a Dios los domingos, cuando te levantas en la iglesia para cantar los grandes himnos de la fe cristiana, o cuando oras y lees la Biblia? ¿Existe alguna forma de glorificar a Dios todo el día y cada día, aun llevando una vida muy normal?

Jesús respondió esta pregunta cuando dijo: "Así alumbre la luz de ustedes delante de los hombres, de modo que vean sus buenas obras y glorifiquen a su Padre que está en los cielos" (Mat. 5:16). Tus buenas obras son como una luz que al resplandecer ilumina a Dios. El propósito no es que cuando vean esta luz las personas te miren y digan: "Es un joven increíble" o "Es una mujer sorprendente", sino que volviéndose hacia él exclamen: "Dios es impresionante".

No solo glorificas a Dios cuando hablas de él, compartes su evangelio con otras personas o levantas las manos en la reunión de adoración. Todas estas acciones son buenas, pero no son, ni mucho menos, el único medio por el que puedes darle gloria a Dios. Glorificas a Dios cuando haces buenas obras. El apóstol Pedro escribió: "Tengan una conducta ejemplar entre los gentiles, para que en lo que ellos los calumnian como a malhechores, al ver las buenas obras de ustedes, glorifiquen a Dios en el día de la visitación" (1 Ped. 2:12). Tus buenas obras hacen brillar a Dios ante un mundo que observa.

P3. ¿Qué son buenas obras?

R. Las buenas obras son actos realizados para la gloria de Dios y el beneficio de otras personas.

Ahora sabes que las buenas obras son importantes y que dan gloria a Dios. ¿Pero que son estas buenas obras? ¿Son cosas como alimentar a los pobres y adoptar niños huérfanos? ¿Consisten en dar dinero a la iglesia, trabajar como voluntario en el banco de alimentos o visitar a los ancianos en las residencias geriátricas? ¿Cuáles son las buenas obras que Dios quiere que hagas? La Biblia te asegura que las buenas obras son aquellos actos que se hacen para el beneficio de otras personas y la gloria de Dios.

Ya eres muy bueno haciendo cosas en tu beneficio; todos lo somos. Desde la infancia has desarrollado la capacidad de esforzarte por tu propia comodidad y supervivencia, pero cuando Dios te salvó, te dio un corazón que anhela hacer el bien a los demás. De repente tienes ganas de bendecir a otras personas, aunque para hacerlo tengas que pagar un precio elevado. A fin de cuentas, esto es exactamente lo que Cristo hizo en la cruz; es lo que él hizo y te llama a que lo imites.

Las buenas obras son, pues, cualquier acto que realices para el beneficio de otra persona: si eres madre y tomas a tu pequeño que llora para abrazarle tiernamente y consolarle, estás haciendo una buena obra que glorifica a Dios, porque lo haces para el beneficio de tu hijito; si eres estudiante y te dedicas a tus estudios, estás haciendo una buena obra que da gloria a Dios, porque lo que estás aprendiendo puede servir y servirá algún día para el beneficio de otras personas; si trabajas en una oficina y haces tu trabajo con consideración hacia tus clientes y compañeros, estás haciendo buenas obras que dan gloria a Dios, porque estás viviendo fuera de ti mismo, haciendo lo que beneficia a las personas de tu entorno.

No hay tarea en la vida que no pueda hacerse para la gloria de Dios. Una vez más, esto es lo que Jesús demanda en estas sencillas palabras del Sermón del Monte: "Así alumbre la luz de ustedes delante de los hombres, de modo que vean sus buenas obras y glorifiquen a su Padre que está en los cielos" (Mat. 5:16).

P4. Pero eres una persona pecaminosa. ¿Puedes llevar realmente a cabo buenas obras?

R. Sí. La obra consumada de Cristo permite que los cristianos hagan buenas obras.

Como cristiano eres consciente de tu pecado y sabes que tus motivos no son nunca perfectamente puros, ni tus deseos perfectamente desinteresados, ni tus acciones perfectamente justas. A veces ni siquiera conoces tus motivos y otras tampoco quieres conocerlos. Si todo esto es cierto, ¿puedes, aun así, hacer obras realmente buenas?

Sí, *puedes* hacer buenas obras. De hecho, esta es precisamente la razón por la que Dios te salvó: "Porque somos hechura de Dios, creados en Cristo Jesús para hacer las buenas obras que Dios preparó de antemano para que anduviésemos en ellas" (Efe. 2:10). Es sencillo: Dios te salvó para que pudieras hacer buenas obras y de este modo le dieras gloria a él. Pablo amplía aún más esta cuestión en su carta a Tito: "[Cristo] se dio a sí mismo por nosotros para redimirnos de toda iniquidad y purificar para sí mismo un pueblo propio, celoso de buenas obras" (Tito 2:14). Cristo entregó su vida por ti para que pudieras tener un verdadero celo por hacer buenas obras. Por lo que respecta a las buenas obras, Pablo invita a los cristianos a ser fanáticos, extremistas, absolutamente comprometidos a hacer el bien a los demás.

¡Anímate! Realmente puedes hacer obras que llenan de alegría a Dios. Aun cuando no hagas estas obras todo lo perfecta o desinteresadamente que te gustaría, o tengas dudas sobre tus motivos, Dios se complace genuinamente con ellas. Aunque tus mejores obras disten mucho de ser perfectas, a Dios le deleitan y las acepta con alegría.

P5. ¿En qué áreas de la vida debes insistir en hacer buenas obras?

R. Debo insistir en las buenas obras en todo momento y en todas las áreas de la vida.

Si *puedes* darle gloria a Dios en todas las áreas, *deberías* hacerlo. No hay ningún ámbito de tu vida en que no tengas la capacidad de hacer bien a otras personas y de glorificar a Dios. Pablo dijo: "Por tanto, ya sea que coman o beban, o que hagan otra cosa, háganlo todo para la gloria de Dios" (1 Cor. 10:31), y a Tito le escribió: "Acerca de estas cosas, quiero que hables con firmeza para que los que han creído en Dios procuren ocuparse en buenas obras. Estas cosas son buenas y útiles a los hombres" (Tito 3:8). Escribiendo específicamente a Timoteo sobre las mujeres, el apóstol le dijo: "Asimismo, que las mujeres se vistan… más bien con buenas obras, como conviene a mujeres que profesan reverencia a Dios" (1 Tim. 2:9, 10); y a la iglesia en Galacia le explicó: "Por lo tanto, mientras tengamos oportunidad, hagamos el bien a todos, y en especial a los de la familia de la fe" (Gál. 6:10). Pedro incluso te dice que Dios te ha dado dones sobrenaturales para que puedas hacer aún más bien a los demás.

Cada uno ponga al servicio de los demás el don que ha recibido, como buenos administradores de la multiforme gracia de Dios. Si alguien habla, hable conforme a las palabras de Dios. Si alguien presta servicio, sirva conforme al poder que Dios le da, para que en todas las cosas Dios sea glorificado por medio de Jesucristo, a quien pertenecen la gloria y el dominio por los siglos de los siglos. Amén (1 Pedro 4:10, 11).

La Biblia es clara: como puedes hacer bien a los demás siempre y en todo contexto, debes hacerlo.

P6. ¿Qué es la productividad?

R. La productividad consiste en administrar de manera eficiente mis dones, talentos, tiempo, energía y entusiasmo para el bien de los demás y para la gloria de Dios.

Vayamos ahora a esta cuestión: ¿qué es la productividad? La productividad consiste en *administrar de manera eficiente tus dones, talentos, tiempo, energía y entusiasmo para el bien de otras personas y para la gloria de Dios.* La productividad te llama a dirigir toda tu vida hacia esta gran meta de dar gloria a Dios haciendo bien a los demás. Este llamado implica utilizar tus dones, los dones espirituales que el Señor te dio cuando te salvó; implica invertir tus talentos, esas especiales capacidades naturales; implica también administrar tu tiempo, las veinticuatro horas que Dios te da cada día; conlleva hacer uso de tu energía, esa fuerza o vitalidad que fluctúa a lo largo del día y de la semana; y tiene que ver, incluso, con tu entusiasmo, la pasión y el interés que puedes aportar a aquellas obras que te gusta hacer. Dios te llama a tomar todo esto y aplicarlo de manera cuidadosa, fiel, y constante a la gran meta de hacer bien a otras personas.

TU PROPÓSITO

Confío en que esta máxima constituya tu propósito: glorificar a Dios haciendo bien a los demás. No hay plan mejor ni ideal más elevado. En última instancia, la productividad trata esencialmente de hacer bien a los demás y, por tanto, de esto tratará este libro.

¿Eres madre y ama de casa? Esta es la medida de tu productividad. ¿Eres director ejecutivo de una empresa y tienes la mejor oficina del edificio? Esta es también la verdadera medida de tu productividad. ¿Eres maestro, fabricante de herramientas, médico o conductor? Lo mismo se aplica a ti. Aun cuando hablemos de herramientas, *software* y sistemas, debes recordar este propósito elevado y noble que subyace tras todas estas cosas: dar gloria a Dios haciendo bien los demás.

DOS

RESPONDE AL LLAMADO

La productividad consiste en *administrar de manera eficiente tus dones, talentos, tiempo, energía y entusiasmo para el bien de los demás y para la gloria de Dios.* Esto significa que eres responsable de tomar todo lo que tienes y enfocarlo hacia esta gran meta. Eres responsable delante de Dios de distinguirte por tu productividad. Debería ser algo sencillo, ¿no? Solo tienes que hacer lo mejor (bien a los demás) para la mejor meta (la gloria de Dios). Y, sin embargo, si eres como yo y como otras muchas personas, habrás experimentado una lucha permanente para ser y mantenerte productivo. Si tu propósito es tan claro, ¿por qué tanta lucha?

LADRONES DE PRODUCTIVIDAD

Estoy convencido de que puedes presentar una lista interminable de razones por las que no eres más productivo. Creo, sin embargo, que tras la mayoría de tus razones (y las mías) se esconden tres culpables principales, tres ladrones de productividad: la pereza, el ajetreo y la mezquina combinación de espinos y cardos.

PEREZA

El primer ladrón de productividad es la pereza. No hace falta buscar mucho en las páginas de la Biblia para descubrir que esta ha sido siempre motivo de preocupación; el libro de Proverbios en especial tiene mucho que decir al perezoso y acerca de él. En su breve comentario sobre este gran libro, Derek Kidner señala que el perezoso es "un personaje tragicómico, con su pereza animal (no es que esté anclado a la cama, ¡sino fijado a ella con bisagras!; 26:14), sus absurdas excusas ("¡Hay un león en medio de las calles!"; 26:13, 22:13) y su absoluta impotencia"[1]. Si estudiamos al perezoso a lo largo del libro de Proverbios, veremos que es una persona que se niega a comenzar nuevos proyectos, alguien que no acaba lo que ha comenzado, que no afronta la realidad y que es, sobre todo, una persona agitada, impotente e inútil. Su vida es caótica porque su alma lo es. Como Dios le importa poco no se preocupa por aquellas cosas que lo honran y glorifican, como el trabajo esforzado y el hacer bien a los demás.

Hay algo de haraganes en la mayoría de nosotros o quizá en todos nosotros, puede que incluso en ti. Si buscas excusas para ser improductivo acabarás encontrando alguna, y si no la encuentras te la inventarás. Es posible que nuestro mundo ofrezca hoy más formas que nunca de posponer nuestras responsabilidades: cuando deberías estar trabajando en la computadora, siempre te encuentras a un par de clics de ver lo que hacen tus amigos en Facebook o de permitirte unos minutos de irreflexivo entretenimiento en YouTube; los mensajes de texto te ofrecen una atractiva distracción ante la reflexión intensa; ver de un tirón la serie de moda en Netflix puede retrasarte una semana en tus tareas. Estás rodeado de tentaciones a la pereza y puede que sucumbas mucho más a menudo de lo que piensas. Quizás la pereza sea lo que se interpone entre tú y la verdadera productividad.

AJETREO

El segundo ladrón de productividad es el ajetreo que, naturalmente, es exactamente lo contrario de la pereza: hacer demasiado en lugar de hacer muy poco. Sin embargo, no es en absoluto una cualidad más noble.

El ajetreo es un pececillo muy astuto. Aunque sin duda ha sido siempre un problema y una tentación, me pregunto de nuevo si en nuestros días no padecemos más que en el pasado este síndrome de actividad desproporcionada. No olvidemos que nuestra sociedad nos juzga y clasifica a menudo según nuestra actividad y a pesar de quejarnos de estar muy ocupados, encontramos también que este ajetreo valida de algún modo nuestra vida, como si solo hubiera dos posibilidades: hacer muy poco o hacer demasiado. Asumimos que, de algún modo, nuestro valor se relaciona con el número de actividades que realizamos.

Sin embargo, no debemos confundir el ajetreo con la diligencia, ni tampoco debe confundirse con la fidelidad o la productividad[2]. "Que estés muy activo no significa que seas un cristiano fiel o fructífero. Solo significa que estas atareado, como todos los demás"[3]. Puede que el ajetreo te haga sentir bien contigo mismo y te lleve a pensar, de manera ilusoria, que estás haciendo muchas cosas, pero posiblemente solo significa que pones poca atención en muchas direcciones, que estás dando prioridad a cosas que no la merecen, y que esto afecta a tu productividad.

PEREZA J ETREO

Lo que es asombroso y absurdo al mismo tiempo es que estas dos características puedan incluso colisionar para formar una especie de ciclón. De hecho, una de las razones por las que me di cuenta de mi necesidad de productividad y desarrollé un interés tan profundo en ella es que esta era exactamente la combinación que veía en mi vida personal. Yo soy perezoso por naturaleza, lo cual significa que tiendo a ignorar o posponer mis responsabilidades: ese ensayo podía esperar unos días más y aquel libro también; aún quedaba margen para pagar aquella factura; mañana podía tener la charla íntima con mi hija... pero al final llegaba el último aviso para la factura, se cumplía el plazo para entregar el ensayo, mi hija necesitaba a su papá, y yo pasaba de perezoso a frenético, de ocioso a trastornado. Los períodos de ajetreo que venían a continuación me dejaban tan exhausto y al borde del colapso que me convencía de que me había ganado el derecho a pasar desapercibido y a estar inactivo durante un tiempo.

ESPINOS Y CARDOS

El ajetreo y la pereza son cuestiones que surgen de nuestro interior, deficiencias de carácter que luego se desarrollan en nuestra vida. Y, por si fuera poco, enfrentamos también desafíos que proceden del exterior.

Dios nos creó para que viviéramos perfectamente en un mundo perfecto, donde todo nos era propicio y obraba a nuestro favor. Con todo, el hombre se rebeló contra Dios y cuando esto sucedió él le explicó que aquello tendría consecuencias, unas consecuencias que se extenderían hasta el trabajo y la productividad: "Sea maldita la tierra por tu causa. Con dolor comerás de ella todos los días de tu vida; espinos y cardos te producirá, y comerás plantas del campo"

(Gén. 3:17b, 18). El castigo no era el trabajo como tal, sino las dificultades que ahora lo acompañarían: lo que antes había sido fácil ahora sería difícil; la tierra, que en otro tiempo solo había producido buenas plantas, se convertiría ahora en un campo de batalla donde los espinos y los cardos amenazarían con ahogar su crecimiento.

Lo que sucedió en el ámbito de la agricultura sucedería también en el resto de esferas laborales, de modo que el hombre tendría que hacer frente en cada tarea a estos "espinos y cardos", unas dificultades que amenazarían constantemente la productividad. Aún hoy cada uno de nosotros, independientemente de nuestra profesión, tenemos que esforzarnos por mantener a raya este tipo de dificultades externas: el camionero se encuentra atascado en el tráfico, el médico tiene pacientes que no se presentan a la consulta, el conferencista pierde su vuelo, la mamá recibe la llamada de la escuela avisándole de que su hijo tiene gripe y ha de llevarle a casa.

LA RAÍZ DEL PROBLEMA

Sea el ajetreo, la pereza, los espinos y abrojos u otra cosa, aquello que impide que hagas bien a otras personas es un problema, un grave problema; es un obstáculo que te impide llevar a cabo precisamente la obra que Dios te ha encomendado durante el breve tiempo que te concede aquí en la Tierra. Esto significa que la falta de productividad o una productividad muy pobre es, en primer lugar, un problema teológico que consiste en no entender o aplicar las verdades que Dios revela en la Biblia.

¿Quieres vivir de forma que hagas bien a otras personas y des gloria a Dios? Naturalmente que sí. ¿Qué impide entonces que vivas así? ¿Qué es lo que reduce tu productividad o la ahoga por completo? Sea cual sea la respuesta, debes identificar la causa y erradicarla para que sea destruida y sustituida por el bien de los demás y la gloria de Dios.

UN LLAMADO A LA ACCIÓN

Esta clase de productividad bíblica verdadera te llama a la acción en todas las áreas de la vida: debes estructurar y organizar tu vida para poder hacer el máximo bien a los demás y darle así la máxima gloria a Dios. Jesús te llama a hacer brillar tu luz delante de los demás, y esta luz se parece más a un potenciómetro que a un sencillo interruptor de encendido y apagado: puedes reflejar distintos grados de la misma para que brille delante de los hombres y cuanto más permitas que resplandezca más verán los demás tus buenas obras y más glorificarán a Dios. Cada día tienes esta opción delante de ti.

Esta verdad significa que la productividad no tiene que ver únicamente con lo que haces en el entorno laboral ni hace solo referencia al éxito que consigues en la tarea que cada semana consume la mayor parte de tu tiempo y atención. La productividad tiene que ver con todos los aspectos de tu existencia: tu vida personal, familiar y eclesial, así como todo lo demás.

UN LLAMADO AL CARÁCTER

La clase de productividad que he descrito no tiene que ver solo con lo que haces, sino también con quién eres. Has de ser un determinado tipo de persona para poder vivir esta vida.

¿Qué clase de persona tienes que ser? Has de ser un cristiano: una persona que ha creído en Jesucristo y recibido el perdón de sus pecados, alguien que ha dejado de vivir para sí mismo y ha comenzado a vivir para la gloria de Dios. Si verdaderamente has puesto tu confianza en Cristo, desearás ser como él, hacer morir todo el pecado que hay en ti y comenzar a vivir para toda la justicia y la santidad. Anhelarás hacer lo que sea necesario para que Dios sea exaltado.

Dios te llama a la productividad, pero debe ser de la clase correcta: quiere que seas productivo según sus objetivos, no los tuyos. Aunque este libro insistirá en el valor de ciertas herramientas y sistemas y otros importantes elementos de la productividad, no hay nada tan importante como tu santidad y piedad. Ninguna cantidad de organización y gestión del tiempo puede compensar la falta de carácter cristiano; no cuando se trata de este gran llamado a la gloria por medio del bien, es decir, a dar gloria a Dios haciendo bien a los demás.

UN DESAFÍO

Me alegro de que concedas un gran valor a la productividad, pero no sirve de mucho ser un monstruo de la productividad si el resto de tu vida queda fuera de control; la productividad (hacer el bien) tiene que extenderse a toda la vida, no quedar relegada a una parte de ella. Se ha demostrado ampliamente (y yo mismo puedo dar fe de ello) que en la vida existen ciertos hábitos y prácticas que predicen el éxito en otras áreas. Mostrar disciplina y dominio propio en un área refuerza estas cosas en otras esferas; por el contrario, descuidar la disciplina y el dominio propio en cualquiera de las principales áreas hace que sea más difícil subrayar estas virtudes en otros ámbitos. Hay una especie de reacción en cadena que genera más orden o más caos.

Aunque estés seguro de que la necesidad más urgente de tu vida es una mayor productividad, quiero animarte a ampliar tu visión y a subrayar al menos otro hábito esencial: si has sido negligente en tu tiempo devocional, comprométete a hacer de ello un hábito; es posible que hacer ejercicio sea el más importante y evidente de estos hábitos y algo que mejorará todas las demás áreas de la vida. Aunque te estés esforzando en desarrollar productividad, selecciona también uno o dos hábitos más con los que trabajar en paralelo y busca esta reacción en cadena.

Acción: Escoge al menos un hábito, aparte de la productividad, y esfuérzate en desarrollarlo mientras lees y aplicas este libro.

TRES

DEFINE TUS RESPONSABILIDADES

No te quepa duda: vivir en este mundo no es fácil. Los humanos somos criaturas finitas que afrontamos demandas infinitas. Hay muchas cosas que *podríamos* hacer en nuestra vida y en un determinado momento, pero muy pocas que *podamos* hacer realmente, e incluso menos que podamos hacer con excelencia. Una gran parte de la vida requiere un correcto equilibrio entre exigencias en conflicto: tenemos familias, iglesias, aficiones y trabajos, y todas estas esferas compiten por las mismas ciento sesenta y ocho horas que se nos dan cada semana. Aunque el tiempo es tan limitado, las posibilidades para utilizarlo son ilimitadas. La productividad depende de negociar la paz entre cada una de las distintas tareas que podamos priorizar en un determinado período de tiempo.

Ahora que vamos a ir entrando en la sección práctica de este libro, quiero ayudarte a traer paz a tu vida. Los primeros pasos en este camino hacia la paz consisten en realizar una auditoría de tu vida. En esta consideración de tu vida, te llevaré por una especie de lente gran angular y juntos reuniremos información importante. Esto es lo que haremos a lo largo de los siguientes capítulos.

Entiendo que este acercamiento quizás no te parezca lo suficientemente práctico; probablemente quieras pasar directamente a crear listas de cosas que hacer, a organizar la información y a terminar tareas. Llegaremos a ello, ¡te lo prometo!, pero todavía no. He probado los atajos y al final nunca funcionan. Confía en mí y ten paciencia, y te darás cuenta de que estos capítulos son tan prácticos como todo lo que sigue.

Acción: Antes de seguir adelante, visita: www.editorialmh.org/haz-mas-y-mejor y descarga la hoja de trabajo sobre productividad.

ÁREAS DE RESPONSABILIDAD

Todos tenemos áreas de las que somos responsables delante de Dios. Todos somos responsables del cuidado de nuestro cuerpo y alma: los padres son responsables del bienestar físico y espiritual de sus hijos; los maridos lo son de proveer para las necesidades de sus esposas, y los padres para las de sus hijos; los miembros de la iglesia son responsables de amar a los demás miembros; cada cristiano es responsable de preocuparse de los pobres y de compartir el evangelio. Y esta lista no es más que un resumen superficial. Estas responsabilidades pueden ser abrumadoras si no las delimitamos convenientemente y les adjudicamos un cierto orden.

Piensa en la parábola de los talentos que Jesús cuenta en Mateo 25, y que habla de un terrateniente que antes de emprender un viaje distribuye sus posesiones entre sus siervos, encomendándoles su custodia. A cada uno de ellos le confía una cantidad diferente y después se marcha durante un tiempo. Dos de los siervos invierten bien aquel dinero y consiguen un beneficio considerable, pero el tercer siervo toma el camino fácil y entierra su dinero.

Finalmente, el señor regresa. "Después de mucho tiempo, vino el señor de aquellos siervos y arregló cuentas con ellos" (Mat. 25:19). Aquellos que actuaron como fieles administradores del patrimonio de su señor son recompensados: "Su señor le dijo: 'Bien, siervo bueno y fiel. Sobre poco has sido fiel, sobre mucho te pondré. Entra en el gozo de tu señor'" (Mat. 25:21, 23). No obstante, el siervo infiel recibe una terrible reprensión: "¡Siervo malo y perezoso!" (Mat. 25:26). La cuestión queda clara: Dios recompensa a quienes administran fielmente lo que él les ha confiado.

¿Qué es lo que el Señor te ha confiado? ¿De qué te ha hecho responsable? Si el señor dio talentos a sus siervos y les pidió cuentas de su administración, ¿qué te ha dado Dios a ti y dónde te pedirá cuentas?

Quiero que hagas una lista de cada una de tus áreas de responsabilidad. Tendrás que pensar en todos los aspectos de la vida y crear amplias categorías, preguntarte de qué eres responsable delante de Dios.

Este es el desafío: tienes que integrar cada una de tus responsabilidades en la vida dentro de una categoría, pero utilizando el menor número posible de categorías. Sugiero que utilices cinco o seis categorías, hasta un máximo de nueve.

Permíteme mostrarte cómo me he planteado yo este asunto. He estructurado mi vida en cinco áreas de responsabilidad:

- Personal
- Familia
- Iglesia
- Social
- Profesión

No tengo ninguna responsabilidad en la vida que se sitúe fuera de estas cinco áreas. Si se me pide que sea algo, haga algo o que dedique tiempo o atención a alguna cosa, tales demandas encajarán en alguna de estas categorías.

En tu caso compartirás alguna de estas áreas de responsabilidad, pero quizá tengas también otras distintas. No cabe duda de que tienes responsabilidades personales: tienes que cuidar tu cuerpo y tu alma, y necesitas comer y vestirte. Es casi seguro que tienes también responsabilidades familiares, ya sea para con tu cónyuge e hijos, padres y hermanos, o con todos ellos. Como cristiano sabes que Dios te ha puesto en una congregación local y te ha encomendado todos estos mandamientos neotestamentarios que se definen por la expresión "unos a otros", de manera que necesitarás también un área de responsabilidad para la iglesia. En el ámbito social tienes también la responsabilidad de ser un amigo comprometido y de evangelizar a tu prójimo. Puede que seas un estudiante con responsabilidades escolares, vicepresidente de una empresa con responsabilidades laborales u organizador de un club de lectura con responsabilidades en el ámbito de esta asociación.

Mi esposa estructura su vida en cinco áreas de responsabilidad:

- Personal
- Familia
- Gestión familiar
- Social
- Iglesia

Ella ha decidido separar a la familia de la gestión familiar, marcando una diferencia entre los miembros de la familia y la gestión de las tareas del hogar.

Un amigo que estudia y trabaja a tiempo completo estructura su vida en seis áreas:

- Personal
- Familia
- Iglesia
- Estudios
- Amigos
- Trabajo

Puede que tu lista coincidida plenamente con alguna de ellas, o quizá concuerde solo parcialmente. Todos nosotros tenemos vidas distintas y, por tanto, distintas áreas de responsabilidad. *¡Vive la difference!*

Acción: Utiliza el formulario de trabajo para la productividad y haz una lista de tus áreas de responsabilidad.

FUNCIONES

Ahora que has pensado en estas amplias esferas de responsabilidad, quiero que empieces a definirlas con más detalle. Enumera, para ello, las funciones, las tareas o los proyectos que corresponden a cada una de estas áreas.

Empieza con el área personal. ¿Cuáles son tus funciones en este ámbito? ¿Qué tareas te ha dado Dios? ¿Qué proyectos tienes en marcha, o cuáles te gustaría comenzar? ¿Bajo qué criterios puede Dios pedirte cuentas? Comienza a escribir estas cosas a medida que te vengan a la mente, pero no te preocupes si pasas por alto algunas porque más adelante podrás ampliar esta lista.

Cuando hayas terminado con el área personal, pasa a la familia y sigue con todos los apartados, haciendo lo propio con cada una de tus áreas de responsabilidad.

Quiero ilustrarlo compartiendo algunas funciones que se corresponden con mis áreas de responsabilidad y dando algunos ejemplos de lo que cada una de ellas implica.

ÁREA DE RESPONSABILIDAD: PERSONAL

- *Buena forma espiritual.* Estar en buena forma espiritual requiere oración y asistencia a la iglesia, así como la lectura de la Biblia y de buenos libros.
- *Buena forma física.* Tengo que cuidar mi cuerpo, de ahí que en esta área esté la dieta, el ejercicio físico y otros elementos similares.
- *Administración.* Esta área se encarga de la planificación y revisión habituales, además de otras tareas administrativas.

ÁREA DE RESPONSABILIDAD: FAMILIA

- *Cuidado y liderazgo espirituales.* Como marido y padre soy responsable de guiar a mi esposa e hijos y de cuidar sus almas.
- *Vivienda.* Aunque no soy muy habilidoso, sigo teniendo la responsabilidad de procurar que nuestro hogar esté en buenas condiciones.
- *Responsabilidad financiera.* En la división de tareas entre mi esposa y yo he asumido la administración financiera, lo cual conlleva el presupuesto familiar y las asignaciones para los niños.
- *Crecimiento familiar.* Yo me encargo de planear las vacaciones y de mantener con regularidad noches dedicadas a la familia.

ÁREA DE RESPONSABILIDAD: IGLESIA

- *Reuniones de ancianos.* Este apartado tiene que ver con

responsabilidades como preparar y dirigir nuestras reuniones y velar para que se lleven a cabo las acciones acordadas en ellas.

- *Discipulado.* Me reúno con regularidad con ciertas personas de la iglesia para su discipulado.
- *Reuniones de miembros.* Generalmente organizo y dirijo las reuniones periódicas de miembros de la iglesia, lo cual implica preparar el orden del día, impartir un breve devocional y ejercer la presidencia.
- *Centro de atención durante el embarazo.* Formo parte de la junta directiva de un centro local de atención durante el embarazo vinculado a nuestra iglesia, lo cual implica reuniones del consejo, responsabilidades en los comités y brindar apoyo espiritual.

Igual que sucede en tus áreas de responsabilidad, es mejor tener menos funciones que abarquen varios elementos que cientos de ellas. Sé todo lo minucioso que puedas, pero entiende que esta es una lista en activo a la que añadirás y quitarás elementos regularmente.

Acción: Utilizando la hoja de trabajo para la productividad, enumera tus funciones, tareas y proyectos dentro de cada una de tus áreas de responsabilidad.

CUATRO

ENUNCIA
TU MISIÓN

Solo con esta sencilla auditoría ya estás poniendo mucho orden en tu vida. Has definido tus áreas de responsabilidad y ahora tienes una minuciosa lista de muchas de las tareas, las funciones y los proyectos que corresponden a cada una de ellas. ¡Vas a comenzar con buen pie! Y esto significa que estás preparado para tu siguiente asignación.

Repitamos nuestra definición de productividad: La productividad consiste en *administrar de manera eficiente tus dones, talentos, tiempo, energía y entusiasmo para el bien de otras personas y para la gloria de Dios.*

Recuerda que tienes una limitada cantidad de dones, talentos, tiempo, energía y entusiasmo, pero que las formas de invertirlos son ilimitadas. Ser productivo implica, por tanto, tomar decisiones sobre cómo invertir estos recursos limitados. Muchas de estas decisiones implican decir "sí" o "no": "sí" a aquellas responsabilidades que parezcan ofrecer la mejor oportunidad de hacer bien a los demás y "no" a las que no lo parezcan. La toma de estas decisiones es a menudo un proceso difícil, incluso desesperante, pero tales decisiones se simplifican cuando sabes cuál es tu misión.

MISIÓN

Como cristianos tenemos una misión: nuestra misión es hacer bien a los demás y de este modo dar gloria a Dios. Este es nuestro objetivo en su sentido más amplio, pero hemos de encontrar formas de llevar a cabo la misión en los detalles prácticos de la vida, por ello quiero que regreses a tus áreas de responsabilidad y definas tu misión en cada una de ellas. No olvides que a pesar de haber definido con precisión tus funciones y áreas de responsabilidad, no tienes todavía forma de saber dónde debes invertir tus esfuerzos y dónde no. Permíteme guiarte en este proceso.

DEFINE TU MISIÓN

Entiendo que la idea de definir tu misión pueda sonar muy intimidatoria, así que permíteme ayudarte a aliviar un poco la tensión.

Muchos gurús de la productividad afirman que necesitamos una declaración de misión general y personalizada, que abarque todos los aspectos de nuestra vida y todas nuestras áreas de responsabilidad. Personalmente, esto me intimida y me paraliza, nunca he conseguido llevarlo a cabo. No obstante, lo que me ha sido muy útil es preparar una declaración de misión limitada de cada una de mis áreas de responsabilidad. Puesto que tengo cinco ellas, tengo también cinco declaraciones de misión.

Permíteme aliviar un poco más la tensión. Mis declaraciones no son fijas e inmutables; su propósito principal es guiarme, semana a semana, en la programación de mi tiempo y en las decisiones sobre dónde dirigir mis esfuerzos. Por tanto, aunque no las cambio sin orden ni concierto o sin una buena razón, sí tengo libertad para ajustarlas a medida que mi misión vaya adquiriendo relevancia y experimentando cambios a lo largo de la vida. El principal valor de verlas como declaraciones "vivas" es que me libra de la parálisis que supone definir una misión que ha de guiarme hoy y dentro de veinte años.

Si crees que te será de ayuda formular una declaración de misión para toda la vida, adelante, ¡hazlo! No obstante, como mínimo, quiero que empieces a pensar en una declaración de cada una de tus áreas de responsabilidad. Puedes pensar en algo hoy y refinarlo durante los próximos días, semanas o incluso meses.

Quiero darte algunos ejemplos de declaraciones de misión. Aquí tienes las declaraciones de tres de mis áreas de responsabilidad: mi trabajo en la iglesia, mi vida profesional (que realmente incluye mi ministerio a la iglesia en general, ¡hasta este libro!), y mi vida personal.

IGLESIA

Enseñar, dirigir y servir a las personas que forman la iglesia Grace Fellowship a medida que estas maduran y se multiplican.

Explicación: Creo que si las personas que forman nuestra congregación viven como cristianas, madurarán en la fe y crecerán en número al compartir el evangelio con los demás. Mi función en la iglesia tiene que ver principalmente con la enseñanza y la formación tanto en contextos formales como informales; quiero desarrollar esta tarea de tal forma que lleve a las personas de la iglesia a madurar y a multiplicarse. Mi breve declaración misional recoge todo esto.

PROFESIONAL

Utilizar las oportunidades que Dios me proporciona para ayudar a otras personas a pensar y vivir como cristianos maduros.

Explicación: Con los años, mi misión esencial como escritor y orador ha ido adquiriendo relevancia. Lo que me gusta es ayudar a las personas a pensar y a vivir como cristianos maduros y en constante crecimiento, y creo que Dios me ha dotado para hacerlo. El objetivo de mi blog, mis libros y mi ministerio como orador es ayudar a los cristianos a crecer y madurar.

PERSONAL

Deleitarme en Dios para su gloria y para el bien de todas las personas.

Explicación: Creo que cuando me deleito en Dios, este deleite lo glorifica y se desborda para bendición de los demás. Cuando encuentro mi deleite en el Señor soy un mejor padre, marido, pastor y prójimo. En pocas palabras, alcanzo mi mayor productividad cuanto más me deleito en Dios.

Cada una de estas afirmaciones son el criterio para que cada semana pueda mirar atrás y preguntarme si he estado haciendo estas cosas, pero son también un llamado a la acción, para que cuando mire la semana que tengo por delante pueda preguntarme cómo voy a hacer esas cosas.

Acción: Escribe una breve declaración de misión para cada una de tus áreas de responsabilidad. Exprésalas ahora lo mejor que puedas y prepárate para refinarlas a medida que vaya pasando el tiempo.

¿TIENES UNA MISIÓN?

Detengámonos por un momento y consideremos adónde hemos

llegado. Nos hemos preguntado cuáles son las cosas que estamos haciendo y cuáles son las cosas de las que somos responsables, y acto seguido hemos formulado una misión para cada una de ellas. Sin embargo, lo que todavía no hemos hecho es preguntarnos si esas son las cosas que deberíamos estar haciendo.

Ahora quiero que consideres detenidamente las funciones, las tareas y los proyectos que corresponden a cada una de tus áreas de responsabilidad, y que te preguntes si estas son las cosas que debes hacer. ¿Se corresponden con tu misión las cosas que en realidad haces?

Es inevitable que con el tiempo acumules cierta cantidad de funciones, tareas y proyectos que sean incompatibles con tu misión. "Del mismo modo en que nuestro clóset se desordena a medida que se va amontonando la ropa que nunca usamos, en nuestra vida también se acumulan compromisos bienintencionados y actividades que permitimos que se acumularan. La mayor parte de estos esfuerzos no venía con una fecha de caducidad"[4]. Algunas veces aceptas tareas porque hay una necesidad (no hay nadie más que pueda hacerlas); otros proyectos los aceptas por una mala gestión (tu jefe te los encomienda y no puedes rechazarlos); en otras ocasiones aceptas participar en un proyecto por un simple "temor al hombre" (tienes miedo de decir no o estabas demasiado deseoso de impresionar a otras personas con tu buena disposición a hacerlo todo); o a veces tu misión ha cambiado o se ha ido precisando más. Sea como sea, nuestras vidas acaban siendo como un cajón de sastre, abarrotadas de cosas que no encajan en ninguna parte.

Cuando se trata de productividad, tu principal objetivo no es hacer más cosas, sino hacer más bien. Generalmente puedes hacer más bien a los demás con menos funciones y proyectos que con un número elevado de ellos. Es mucho mejor dedicar mucha atención a aquellas áreas para las que estás especialmente dotado que conceder una atención mínima a las muchas áreas en las que no lo estás. "Sólo cuando te das permiso de dejar de hacerlo todo, de dejar de decirles que sí a todos, puedes hacer tu mayor contribución a las cosas que realmente importan"[5]. ¿Cuáles son estas cosas realmente importantes en tu vida?

Randy Alcorn es una de las muchas voces que proclaman el valor de una negligencia planeada. Alcorn afirma:

> La clave para una vida productiva y satisfecha es la "negligencia planeada": saber lo que no tienes que hacer y conformarte cuando dices no a oportunidades realmente buenas y a veces fantásticas. Esto solo sucede cuando te das cuenta de lo limitado que eres, cuando eres consciente de que debes administrar tu pequeña vida y de que, de todas las mejores cosas que pueden hacerse en este planeta, Dios solo quiere que hagas un número insignificante[6].

No comenzarás a vivir una vida centrada y productiva hasta que no hayas dicho no a grandes oportunidades que simplemente no encajan con tu misión. Hay muchas cosas buenas en este mundo que quedarán inacabadas o que tendrá que hacer otra persona.

Así que, teniendo en mente tu misión, vuelve a cada una de tus áreas de responsabilidad, examina esta lista de funciones y proyectos y pregúntate cosas como estas:

- ¿Son estas las correctas y mejores cosas que debo estar haciendo?
- ¿Encajan estas cosas en mi misión?
- ¿Hay cosas que puedo hacer en esta área que nadie más puede hacer?

- ¿Tengo talentos o dones especiales en este ámbito?
- ¿Aporto un valor singular a esta tarea o este proyecto?
- ¿Hay alguien que pueda hacer esto mejor que yo?

Sé que en mi iglesia me siento constantemente tentado a asumir tareas o proyectos que un diácono o un administrador haría mejor. Encomendárselas a una persona más hábil, llamada o preparada para ello me deja libre para concentrarme en mi misión esencial. No obstante, puesto que me encanta la aprobación de los demás, me siento tentado a asumir tareas que están fuera de mi misión esencial. En última instancia, estas cosas solo acaban siendo algo que me distrae enormemente de otras más importantes. He tenido que aprender el "sí" lento y el "no" rápido[7]. Mi capacidad para tomar decisiones sabias está directamente relacionada con mi comprensión de la misión. Cuando estoy seguro de mi misión lo estoy también de mis decisiones.

Acción: Considera las tareas, las funciones y los proyectos de tus áreas de responsabilidad y selecciona aquellas que no encajen en tu misión.

LAS SOBRAS

Llegados a este punto puede que tengas una pequeña lista de quehaceres, funciones y proyectos que no encajen en tu misión, pero tienes varias opciones para cada uno de estos elementos:

Puedes *abandonarlos*. Quizás te des cuenta de que ciertas cosas se están haciendo sin ninguna buena razón que las justifique. Por ejemplo, muchas iglesias tienen ministerios que se iniciaron hace muchos años con un propósito válido, pero que desde hace tiempo se han convertido en algo obsoleto o innecesario. Si hoy no tiene un propósito claro, sería indudablemente mejor dirigir a otra tarea el tiempo y la energía que requieren. Que el ministerio o proyecto en cuestión tenga un gran pasado no indica necesariamente que deba tener un futuro.

Puedes *delegarlos* a alguien que pueda hacerlos mejor. Quizás hayas estado administrando el presupuesto familiar, pero te has dado cuenta de que tu cónyuge está más dotado para hacerlo o puede dedicarle más atención. Pregúntale si está dispuesto o dispuesta a asumir la tarea.

Puedes *hacerlos tú*. Antes de deshacerte de todo lo que no encaja perfectamente en tu misión esencial, recuerda que tu principal llamado en la vida es hacer bien a los demás. En esto la productividad cristiana es singular, pues la mayoría de gurús de la productividad te animarán a ser tan egoísta como necesites para librarte de cualquier cosa que no te interese o estimule. Sin embargo, como cristiano sabes que a pesar de que algunas de las cosas que haces no encajan perfectamente con tu misión, puedes seguir haciéndolas por amor a Dios y con el deseo de glorificarlo a él.

Es posible que Dios te llame a hacer cosas simplemente porque deben hacerse y espera que las hagas con gozo y excelencia; quién sabe, hasta es posible que te capacite espiritualmente para que las hagas de un modo inmejorable. Como dice Gene Edward Veith:

En esencia, tú encontrarás vocación en el lugar que ocupas en el presente. Una persona atascada en un trabajo sin porvenir podría tener ambiciones más elevadas, pero ese trabajo, aunque humilde, es por el momento su vocación. Cosas como hacer hamburguesas, limpiar habitaciones de hotel o vaciar orinales en un hospital tienen dignidad como vocaciones, son áreas en las cuales expresar amor al pró-jimo mediante un servicio abnegado en el que Dios está disfrazado[8].

Acción: Decide si vas a abandonar, delegar, o seguir realizando cada una de las funciones, las tareas o los proyectos que estén fuera de tu misión.

CONCLUSIÓN DE LA AUDITORÍA

La auditoría ha llegado a su fin. Has reunido la información que necesitas y estás casi preparado para hacer uso de toda ella, pero antes de poder hacerlo debemos seleccionar tus herramientas.

UNA NOTA SOBRE OBJETIVOS

Muchos libros sobre productividad contienen una importante sección relativa a los objetivos: su importancia, cómo establecer buenos objetivos y cómo alcanzarlos. Para algunas personas los objetivos son verdaderos catalizadores mientras que a otras les paralizan; algunos se crecen con metas a largo y corto plazo mientras que otros no consideran siquiera el valor de establecer, cumplir o superar objetivos. Personalmente, pienso que los objetivos son elementos de productividad útiles pero prescindibles.

Para lo que los objetivos pueden ser especialmente útiles es a la hora de hacer que la misión sea algo práctico: una declaración de misión es necesariamente amplia y general, pero puede hacerse más práctica con el establecimiento de objetivos. Algunos objetivos pueden ser muy extensos y su cumplimiento requeriría una gran cantidad de tiempo, mientras que otros pueden ser muy sencillos y fáciles de cumplir; algunos son para toda la vida, mientras que otros solo son para un día: todos pueden tener su lugar.

Si eres la clase de persona que rinde mejor con objetivos, te recomendaría que los introdujeras en este punto, después de definir tu misión. Plantéate objetivos que fluyan de tus áreas de responsabilidad y que te ayuden a cumplir con tu misión.

Puedes guardar estos objetivos en la herramienta para la gestión de información (capítulo 8), cumplirlos mediante una serie de tareas (capítulo 6) y establecer una rutina (capítulo 10) para asegurar su evaluación habitual. Aunque la clase de sistema de productividad que presento en este libro no depende de objetivos, es muy capaz a la hora de tratar con ellos.

CINCO

SELECCIONA TUS HERRAMIENTAS

Las herramientas son esencialmente humanas. En la aurora de la historia humana, Dios creó a dos personas, desnudas y solas en un huerto, y les dio una tarea de enormes proporciones: tenían que ejercer dominio sobre toda la tierra y llenarla de personas (Gén. 1:28). Solo podían cumplir con este llamado si desarrollaban herramientas apropiadas para la tarea: arados para labrar la tierra y obtener cosechas, sierras para cortar madera y conseguir combustible, puentes para cruzar los ríos. Los primeros humanos dependían totalmente de sus herramientas y desde entonces todos nosotros, en cada área de la vida, hemos dependido de las nuestras, lo cual te incluye a ti en tu búsqueda de la productividad.

Puesto que dependes en gran medida de tus herramientas, hay buenas razones para asegurarte de que estés utilizando las mejores. Posiblemente un cirujano puede llevar a cabo una intervención quirúrgica con una navaja multiusos si es absolutamente necesario, pero tú preferirías que te operara con un bisturí, y de la mejor calidad posible; puedes intentar cortar un árbol de tu jardín con una palanca de hierro, pero harás este trabajo mejor y más rápido si utilizas un hacha. Sin embargo, muchas personas intentan ser productivos con herramientas poco adecuadas para la tarea en cuestión. Dependes de herramientas que pueden hacer cosas que tú eres incapaz de lograr o llevar a cabo tareas mejor de lo que tú podrías hacerlo. En materia de productividad, tus herramientas pueden compensar muchas de tus deficiencias y hacer cosas que tú no quieres hacer. Aunque dependes totalmente de datos como el número de tu póliza de seguros, el horario de tu vuelo o la plaza de aparcamiento que has ocupado para ir al partido de fútbol, eres una completa nulidad para recordar toda esta información. Existen herramientas de excelente diseño para ayudarte a recoger, archivar y acceder a este tipo de información. Como no puedes recordar todas las tareas que debes llevar a cabo en un día, te desvelas por la noche intentando desesperadamente recordar todas esas tareas y fechas de vencimiento del día y de la semana siguientes. Hay herramientas capaces de gestionar estas cosas y recordártelas precisamente cuando lo necesitas.

Tu productividad depende en gran medida de identificar y utilizar las mejores herramientas para tu trabajo, así como de aprender después a utilizarlas de forma eficiente. Esta realidad no es distinta de la de cualquier otro ámbito de la vida: los predicadores deben encontrar y aprender a utilizar las mejores concordancias, diccionarios y comentarios, y cuando lo hacen pueden predicar mejores sermones; los músicos buscan sin cesar mejores instrumentos y están siempre practicando para tocarlos mejor; los atletas se mantienen constantemente en forma y buscan el mejor y más actualizado equipo deportivo; y tú, en tu deseo de ser productivo, tendrás que escoger grandes herramientas y aprender a utilizarlas bien.

Me voy a centrar en herramientas de software: programas y servicios. Naturalmente, el software precisa de un hardware, pero los requisitos al respecto son mínimos: una computadora sencilla, portátil o de sobremesa será suficiente; un teléfono inteligente será también de gran ayuda. El software que recomiendo funcionará en casi cualquier plataforma informática o teléfono celular.

3 HERRAMIENTAS ESENCIALES

La eficiencia en la productividad depende de tres herramientas y de la relación entre ellas.

- *Herramienta de gestión de tareas.* Los gestores de tareas te permiten concretar y organizar tus proyectos y tareas.
- *Herramienta de programación.* Las herramientas de programación sirven para organizar tu tiempo y te notifican de eventos y citas pendientes.
- *Herramienta de información.* Una herramienta de información te permite recopilar y archivar información, así como acceder a ella.

Quiero describir brevemente estas herramientas y hacerte algunas recomendaciones para cada una de ellas.

La primera herramienta esencial, la de gestión de tareas, es la menos conocida para la mayoría. Una herramienta de gestión de tareas te permite plasmar y organizar tus proyectos, tareas y acciones. La variante más antigua de esta herramienta son las agendas planificadoras o una simple hoja de papel con una lista de tareas por realizar con pequeños recuadros para marcar las tareas terminadas. Hoy existen programas excelentes capaces de gestionar todos tus proyectos y tareas como nunca antes.

Mi recomendación como herramienta de gestión de tareas es

Todoist (es.todoist.com), que concreta, organiza y visualiza tus proyectos y tareas, además de notificarte de las más urgentes. Puedes acceder a esta herramienta con cualquier navegador o mediante apps, lo cual te permite usarlo siempre que tengas una computadora o un dispositivo móvil (entre las alternativas se incluyen Wunderlist, Asana, Things, OmniFocus, y muchas otras).

La segunda herramienta es de programación. Las herramientas de programación sirven para organizar tu tiempo y te notifican de eventos y citas pendientes. La variante más antigua de esta herramienta es el conocido calendario colgado en la pared o sujetado con imanes en la puerta del refrigerador. Hoy existen calendarios electrónicos que tienen la mayoría de los puntos fuertes de los de papel, pero que incorporan numerosas y eficaces características (por ejemplo, la posibilidad de notificarte o hacer sonar una alarma antes de tus eventos programados, o incluso de suministrarte alertas de tráfico que puedas necesitar).

Mi recomendación como herramienta de programación es el calendario de Google (calendar.google.com), que consignará y visualizará todos tus eventos, reuniones y citas importantes, además de alertarte antes de cualquier reunión o cita pendiente mediante la función de notificaciones. Puedes acceder a esta herramienta con un navegador y con diferentes aplicaciones, lo cual te permite utilizarla siempre que tengas una computadora o un dispositivo móvil (entre las alternativas se incluyen el calendario de Apple, Outlook, y muchas otras).

La tercera herramienta esencial es la de información, que te permite recopilar y archivar información, así como acceder a ella. No hace mucho esto se hacía con archivadores organizados con carpetas que guardaban la información en hojas de papel. Este sigue siendo un modelo familiar, pero hoy día las herramientas electrónicas te ayudan a archivar electrónicamente toda tu información (o la mayor parte de ella), lo cual ofrece muchos e importantes beneficios, como el acceso universal (puedes acceder a tus archivos en cualquier lugar) y la facilidad de búsqueda (puedes buscar entre todos tus documentos con solo pulsar unas pocas teclas).

Como herramienta de información te recomiendo Evernote (evernote.com/intl/es-latam/), un eficiente programa que te permite capturar casi cualquier tipo de información; una vez capturada, esta se archiva y clasifica y está lista para ser consultada en el futuro. Evernote se puede instalar en casi cualquier computadora y puedes acceder a ella siempre que tengas una computadora o un dispositivo móvil (entre las alternativas se incluyen OneNote, Notability, y muchas otras).

Acción: Escoge una herramienta de programación, una de gestión de tareas y otra de información.

UN PRINCIPIO DE ORGANIZACIÓN

Tu productividad depende del uso eficiente y sistemático de estas tres herramientas y de la gestión eficaz de su interacción. En este punto quiero introducir un importante principio de organización al que volveremos una y otra vez y que se extiende a cada área de la vida, pero que resulta especialmente útil a la hora de organizar tu sistema de productividad. Ahí va: *Cada cosa en su sitio y cada oveja con su pareja.*

No te dejes engañar por la sencillez de esta regla: es un principio muy, pero que muy eficaz. Si lo aplicaras de manera consistente en tu casa o en tu trabajo, estos estarían y se mantendrían perfectamente organizados; nunca más te volverías loco por encontrar aquellas cosas que sueles extraviar; sabrías siempre donde están las llaves del coche porque, a no ser que las estuvieras utilizando, estarían en su sitio junto con las otras llaves; no tendrías ningún problema para localizar determinado cable de extensión porque, a no ser que lo estuvieras utilizando, estaría en su sitio, junto con los otros cables de extensión.

Cuando se trata de productividad, este principio es igual de eficaz. Si lo aplicas sistemáticamente a toda tu vida, esta estará y permanecerá organizada: nunca más te desvelarás preguntándote de qué importante proyecto te estás olvidando o dónde dejaste aquellos importantes formularios fiscales. Este principio te dice lo que tienes que hacer con tu información, eventos, reuniones y citas, además de orientarte con respecto a tus tareas y proyectos. Te dice que las citas deben ir siempre donde van las citas, la información donde va la información y las tareas siempre con las tareas. Significa que las citas y las tareas nunca deben mezclarse, y que estas últimas nunca deben consignarse en el mismo lugar que la información. Cada una de estas cosas tiene su sitio y debe estar siempre allí.

Este principio puede también utilizarse de un modo más específico: las unidades de información semejantes deben guardarse en el mismo lugar dentro de tu herramienta de información; las distintas tareas que se relacionan con un mismo proyecto debes asimismo guardarlas en un mismo lugar de tu gestor de tareas. Según este principio, toda la información sobre un área de responsabilidad debe guardarse con el resto de información sobre dicha área y todas las tareas relacionadas con un proyecto deben guardarse con las demás tareas vinculadas al proyecto en cuestión.

Interioriza profundamente esta regla, porque pronto vas a depender de ella.

HERRAMIENTAS Y ÁREAS DE RESPONSABILIDAD

Has seleccionado tus herramientas y has aprendido el principio que te dirá cuándo utilizar cada una de ellas. Y ahora, por fin, ha llegado el momento de empezar a utilizarlas. Tus herramientas funcionarán mejor cuando las combines con una verdadera comprensión de tus áreas de responsabilidad. Cuando comencemos a utilizar nuestras herramientas verás por qué he insistido tanto en que definas tus responsabilidades y funciones.

SEIS

AGRUPA TUS TAREAS

La primera herramienta que debes dominar es el gestor de tareas. Esta herramienta es el corazón de cualquier sistema de productividad eficaz y vas a utilizarla para almacenar y organizar tus proyectos, tareas y acciones. Aunque las tres herramientas son importantes para el funcionamiento del sistema, ninguna lo es tanto como esta: de hecho, en cierto sentido, el resto de herramientas son auxiliares al gestor de tareas, porque este es el que determinará e impulsará tus acciones cada día.

Los programas para la gestión de tareas son relativamente nuevos y, por tanto, es posible que estés mucho menos familiarizado con ellos que con las otras dos herramientas esenciales. En el pasado la mayoría de personas solía repartir las funciones que realiza el gestor de tareas entre calendarios, diarios, retazos de papel, pizarrones y bandejas de entrada de correo electrónico. Hoy, no obstante, estas herramientas aportan una nueva eficacia y posibilidades para una preocupación muy antigua: sacar el trabajo adelante.

Recomiendo Todoist como una herramienta excepcional para gestionar tareas. Es el software que voy a estar utilizando mientras explico cómo instalar y utilizar las herramientas de este tipo. Si decides utilizar otro producto, deberías ser capaz de seguir esos principios y aplicarlos a la herramienta que hayas escogido.

Todoist ofrece varios niveles de estructura o jerarquía para organizar mejor las tareas y te recomiendo que utilices tres de ellos: proyectos, subproyectos y tareas. Las tareas (elementos individuales pendientes) van dentro de los subproyectos (colecciones de tareas relacionadas), los cuales pueden agruparse dentro de proyectos (colecciones de subproyectos relacionados): en otras palabras, los proyectos están formados por subproyectos y estos por tareas. No te preocupes si todo esto te parece un poco confuso porque lo iré explicando a medida que vayamos avanzando.

Hablemos de cómo integrar tu vida en un sistema de gestión de tareas y cómo estructurar una dinámica de trabajo esencial.

ORGANIZACIÓN

Lo primero que debes hacer es visitar es.todoist.com y crear una cuenta utilizando tu nombre y dirección de correo electrónico. Posiblemente te resulte más fácil la configuración inicial desde el navegador de tu computadora que utilizando tu dispositivo móvil (visita www.editorialmh.org/haz-mas-y-mejor para obtener instrucciones más detalladas).

Vas a estructurar Todoist alrededor de tus áreas de responsabilidad. Verás que, por defecto, Todoist viene con varios proyectos prestablecidos: Compras, Trabajo, Recados, etcétera. Bórralos todos excepto el Personal. Una vez hecho esto dirige tu atención a ese proyecto y configúralo para que contenga todos los subproyectos relacionados con tus áreas personales de responsabilidad. Ahora toma la hoja de trabajo sobre productividad que rellenaste antes, fíjate en tus áreas personales de responsabilidad y pulsa en Todoist "+ Añadir Proyecto" para crear un proyecto que se corresponda con alguna de las funciones o proyectos a los que quieras incorporar tareas o acciones. Escribe el nombre del proyecto, pulsa el botón de "sangría" para convertirlo en un subproyecto y a continuación pulsa "Añadir Proyecto". Sigue este mismo patrón en cada una de tus funciones o proyectos personales. Cuando hayas terminado, verás tu proyecto personal con todos sus subproyectos relacionados perfectamente organizados debajo de él. Puede que te sea útil etiquetar los subproyectos con el nombre del proyecto, por ejemplo: Personal: Lectura, Personal: Forma física, etcétera.

Ahora dirígete a tus otras áreas de responsabilidad y haz lo mismo: crea un proyecto para cada una de tus áreas de responsabilidad y crea un subproyecto para cada función o proyecto a los que quieras incorporar tareas o acciones.

A continuación doy algunos ejemplos de mi herramienta de gestión de tareas:

- Área de responsabilidad: Familia
  - Subproyecto: Finanzas
  - Subproyecto: Hogar
  - Subproyecto: Vacaciones
- Área de responsabilidad: Negocio
  - Subproyecto: Conferencia G3
  - Subproyecto: Teología visual
  - Subproyecto: Finanzas
- Área de responsabilidad: Iglesia
  - Subproyecto: Ministerio jóvenes adultos

– Subproyecto: Reuniones de miembros
– Subproyecto: Centro de atención durante el embarazo
Acción: Crea tus proyectos y subproyectos.

Una vez hecho todo esto, tienes tantos proyectos como áreas de responsabilidad y bajo cada proyecto tienes distintos subproyectos que representan tus proyectos, funciones o tareas. ¡Vas por buen camino!

CÓMO AÑADIR TAREAS

Ahora que has terminado de organizar tu gestión de tareas con Todoist, ha llegado el momento de empezar a añadir tus tareas. Solo hay una cosa que deberías añadir a Todoist: tareas. Las tareas son elementos específicos y ejecutables relacionados con alguno de tus proyectos; cualquier cosa que requiera una acción futura va en tu herramienta de gestión de tareas. Y, una vez más, tus tareas deben ceñirse a la regla: *Cada cosa en su sitio y cada oveja con su pareja.* Este método implica que todas tus tareas relacionadas con las finanzas familiares deben ir juntas dentro de ese subproyecto; todas tus tareas relacionadas con el ministerio preescolar de la iglesia han de estar juntas dentro de ese subproyecto.

Te recomiendo que el nombre de tus tareas comience con un verbo seguido de dos puntos, un patrón que tiene al menos dos beneficios: en primer lugar, te aseguras de que en Todoist solo estás consignando acciones y no estás utilizando esta herramienta como un espacio para guardar información; en segundo lugar, facilita una rápida lectura de la lista de tareas para agrupar aquellas que requieren un mismo tipo de acción (por ejemplo, Comprar, Escribir, Enviar un email, Llamar). Después del verbo y los dos puntos añade una breve descripción de la tarea (por ejemplo: Comprar: bolígrafos, Llamar: al pastor Bob, Enviar: Nota de agradecimiento a Susan). A continuación doy algunos ejemplos de mi herramienta de gestión de tareas:

- Área de responsabilidad: Familia
  - Subproyecto: Finanzas
    - Abrir: Nueva cuenta de ahorro
    - Actualizar: Presupuesto
    - Buscar: Nueva póliza de seguros
  - Subproyecto: Vivienda
    - Registrar: Keurig
    - Terminar: Pintado de la cocina
    - Comprar: Extintor
- Área de responsabilidad: Negocio
  - Subproyecto: Conferencia de G3
    - Decidir: Texto para la predicación
    - Preparar: Sermón
    - Reservar: Vuelos
  - Subproyecto: Teología visual
    - Preparar: Documento de marketing
    - Terminar: Capítulo 3
    - Editar: Capítulo 2
- Área de responsabilidad: Iglesia
  - Subproyecto: Ministerio para jóvenes adultos
    - Fijar: Fecha para la próxima reunión
    - Decidir: Tema para la próxima reunión
    - Tratar: Futuro liderazgo
  - Subproyecto: Reuniones de miembros
    - Crear: Programa de la reunión de miembros
    - Tratar: Programa con los ancianos
    - Enviar: Orden del día a los miembros

Acción: Consigna algunas tareas en Todoist.

DINÁMICA DE TRABAJO

Ahora hemos de considerar una sencilla dinámica de trabajo con Todoist. Siempre que pienses en una tarea que debes, o te gustaría hacer en el futuro, añádela a Todoist. Cuando estás en una reunión y se te asigna una tarea o un proyecto, añádelos inmediatamente. Cuando veas un elemento que tienes que arreglar o un producto que debes reparar, añade una tarea a Todoist. Añade las tareas tan pronto como pienses en ellas, y no te refrenes. Aunque no estés seguro de si será o no necesario hacerla, consígnala ahora y toma una decisión al respecto más adelante. No pienses que ya recordarás la tarea más tarde o al día siguiente. Sea lo que sea, sácatelo de la cabeza y ponlo en Todoist.

La información que consignas en Todoist aparecerá automáticamente en tu bandeja de entrada. A esta bandeja de entrada llegarán las tareas sin filtrar ni clasificar, por lo que deberás procesarlas de forma regular. Recomiendo hacer esto al menos una vez al día temprano por la mañana o al final de la jornada. En un capítulo posterior expondré una rutina recomendada diaria. Procesar la bandeja de entrada de Todoist supone realizar un breve examen de cada nota y tomar una decisión al respecto. Tienes cuatro opciones:

Puedes *borrarla*. Si es una tarea que ya no debes hacer, bórrala.

Puedes *llevarla a cabo*. Si es una tarea que puedes hacer inmediatamente y que no te llevará más que algunos segundos, hazla ahora mismo. Es mejor invertir haciéndola el tiempo y esfuerzo que implicaría configurar otra opción.

Puedes *aplazarla*. Si es una tarea que quieres hacer en el futuro, tendrás que moverla al proyecto y subproyecto apropiados. Puede que en este momento también quieras establecer una fecha límite. Para hacerlo, escribe una fecha como "21 de julio" o una cláusula como "próximo lunes" en la casilla "Programar". Si se trata de una tarea que debes hacer periódicamente, puedes consignar una fecha periódica, lo cual te ayudará a llevar a cabo esta tarea, pero también a saber cuándo es la próxima fecha límite dentro de un calendario predeterminado. Para hacer esto, escribe, por ejemplo: "cada dos semanas" o "cada jueves" en la casilla "Programar".

Puedes *delegarla*. Si es una tarea que ha de llevarse a cabo, pero sería mejor que la hiciera otra persona, delégasela a esa persona.

No dejes de procesar tu bandeja de entrada hasta que hayas llevado a cabo una apropiada acción para *cada tarea*. La bandeja de entrada solo pretende ser un destino temporal para tus tareas, toma pues la decisión de no dejarlas nunca en ella por mucho tiempo.

A medida que vayas usando tu herramienta de gestión de tareas, deberás dedicar la mayor parte de tu atención a dos vistas. A lo largo del día tendrás que ir consultando la vista "Hoy" que muestra todas las tareas que debes hacer hoy. La vista "Próximos 7 días" te alertará de los próximos vencimientos y fechas límite.

Cuando acabes una tarea, márcala como terminada y pasa a la siguiente. Hay pocas cosas tan gratificantes como hacer clic en "terminada" y ver que la tarea en cuestión desaparece. ¡Estas sacando tu trabajo adelante!

Todoist y otras herramientas de gestión de tareas requieren una pequeña inversión inicial de tiempo para entender cómo funcionan y cómo configurarlas de la mejor forma. Requieren un poco de mantenimiento. Pero aporta muchos beneficios tangibles. Son herramientas muy eficientes para impulsar y mantener la acción. No obstante, como todas las herramientas, requieren compromiso. Descubrirás que cuanto más y mejor las utilizas, mejores resultados ofrecen. ¡No te apresures a abandonar!

PRÓXIMOS PASOS

Terminada la organización esencial, considera la posibilidad de consultar tutoriales para entender mejor los pormenores de Todoist. Puedes encontrar un buen número de vídeos de este tipo que te mostrarán cómo usan otras personas este software y te ofrecerán valiosos consejos.

Una vez que te sientas cómodo en el manejo de Todoist en tu computadora, considera la posibilidad de instalarlo en tu dispositivo móvil. Este paso te permitirá llevar tu lista de tareas dondequiera que vayas y añadir tareas en cualquier momento, asegurándote de que ninguna tarea queda en el aire.

SIETE

PLANEA TU CALENDARIO

Con tus tareas en su debido lugar, ha llegado el momento de considerar la tercera y última de las herramientas básicas: tu instrumento de programación o calendario. Aunque sigue siendo muy útil utilizar un calendario impreso, los calendarios electrónicos de nuestro tiempo poseen nuevas y eficientes funciones como las de compartir y notificar, que los hacen imprescindibles para la productividad.

Ya he recomendado el calendario de Google como una eficiente herramienta para calendarizar y, a medida que avancemos, explicaré cómo configurarlo y utilizarlo esencialmente. Puedes escoger otra herramienta y, aunque es posible que varíen algunos detalles, su configuración y uso general serán probablemente muy similares.

El grado en que utilices el calendario y dependas de él estará sobre todo en función de los detalles de tu vida. Cuantas más reuniones y citas haya en tu programa, más importante será que dediques mucho tiempo y planificación a tu calendario. Si tienes muy pocas citas programadas, puedes funcionar con un calendario mucho más básico y dedicarle mucha menos atención.

CONFIGURACIÓN

Accedemos al calendario de Google en calendar.google.com. Si no tienes cuenta de Google, crea una y entra en la aplicación. ¡Y ya está! La configuración del calendario es realmente así de simple. Google te hace todo el trabajo pesado, así que solo tienes que utilizarlo.

No obstante, hay una decisión que debes tomar tú: el software de Google te permite tener múltiples calendarios y podrías plantearte usar uno para cada una de tus áreas de responsabilidad, así que debes determinar si vas a tener un solo calendario que comprenda todas tus áreas de responsabilidad o bien uno distinto para cada una de ellas. El beneficio de trabajar con múltiples calendarios es la división entre tus áreas de responsabilidad; el inconveniente es la capa de complejidad que añade.

Acción: Crea tu calendario y decide si quieres un solo calendario o varios. Añade algunas reuniones o citas próximas.

CÓMO ORGANIZAR TU CALENDARIO

Una vez más hemos de volver al principio rector de la organización: *Cada cosa en su sitio y cada oveja con su pareja.* El calendario es el sitio adecuado para *algo*, ¿pero para qué? Hablemos de ello.

El calendario es el lugar adecuado para consignar acontecimientos, reuniones y citas. Si necesitas recordar algo que sucede en un determinado momento o en un determinado momento y lugar, es un dato ideal para el calendario. Estos son los únicos elementos que debes incluir en tu calendario.

Permíteme poner algunos ejemplos de mi calendario:

- Lunes a las 11:00 a.m. — Hacer ejercicio en el gimnasio
- Martes a las 6:30 a.m. — Reunión de hombres en Grace Fellowship
- Miércoles a las 7:00 p.m. — Reunión de oración en Grace Fellowship
- Jueves 2:00 p.m. — Llamar por teléfono a Matthew
- Viernes a las 12:00 p.m.— Comida con Drew en Swiss Chalet
- Sábado a las 9:30 a.m. — Vuelo a Chicago desde el Aeropuerto Internacional de Pearson

Todos estos elementos tienen lugar en un determinado momento, o en un determinado momento y lugar, y es importante que me acuerde de estar dónde y cuándo se produzcan. Estos son los únicos elementos que consigno en mi calendario.

El hecho de registrar *únicamente* esta información en tu calendario puede producir un cambio significativo en tu organización. Es muy probable que en el pasado dependieras de tu calendario para recordar tus fechas límite y tus tareas; sin embargo, ya hemos visto que el software para la gestión de tareas ofrece una solución mucho más efectiva. Una vez hayas trasladado las fechas límite y las tareas a su lugar apropiado, tu calendario solo reflejará los eventos, reuniones y citas (y esperemos que ninguna otra cosa).

DINÁMICA DE TRABAJO

A diferencia de la gestión de tus tareas, el calendario requiere poco trabajo: simplemente añadirás eventos, reuniones o citas a medida que vayas programando estas cosas. Cuando consignes estos elementos en tu calendario, asegúrate de que has puesto correctamente la información de fecha, horario y ubicación. En el capítulo 9 recomendaré una forma de revisar el calendario cada día que nos mantendrá al tanto de todo lo que se acerca.

No obstante, el calendario tiene una función diaria e indispensable. Cuando se configura del modo que he explicado aquí (cuando solo contiene acontecimientos, reuniones y citas) nos proporciona información importante que nos permite organizar debidamente el día. Uno de los elementos importantes de tu evaluación diaria (a la que me referiré en el capítulo 9) es comenzar cada día consultando tu calendario para ver cuánto tiempo estará dedicado a eventos, reuniones y citas.

El tiempo restante es el que puedes dedicar a terminar tareas y adelantar proyectos. Si estás en la oficina desde las nueve de la mañana hasta las cinco de la tarde y tienes reuniones de nueve a once y de una a una y media, una breve ojeada a tu calendario te dará una idea del tiempo de que dispones para tareas y proyectos y te permitirá planificarte bien. Si eres madre y ama de casa, y sabes que tu pequeño hace una siesta entre las doce y la una y que debes recoger a los otros niños a las tres de la tarde en la escuela, tendrás una importante información que te permitirá planear el mejor momento para hacer las compras, las tareas domésticas y la llamada telefónica a la joven que estás aconsejando.

CÓMO USAR LAS NOTIFICACIONES

Uno de los grandes beneficios de los calendarios electrónicos en relación con sus predecesores impresos es que los primeros tienen la capacidad de avisarte de eventos, reuniones o citas inminentes. El calendario de Google lo hace por medio de lo que llama notificaciones, que te avisarán por medio de sonidos y ventanas emergentes en tu computadora o dispositivo móvil. Es una función extremadamente útil.

Cuando crees un evento en el calendario, acuérdate de programar las notificaciones apropiadas. Si has de cruzar la ciudad para acudir a una cita puede ser conveniente que programes una notificación treinta o sesenta minutos antes de que empiece. Si tienes una reunión a las seis y media de la mañana, quizá te sería útil programar una alerta doce horas antes para poder planear apropiadamente la hora de acostarte y la rutina matutina, y otra noventa minutos antes de la reunión para asegurarte de salir de casa a tiempo. Naturalmente, esto presupone que tendrás a mano algún dispositivo electrónico cuando se produzcan las notificaciones, pero si este no fuera el caso tendrás que encontrar otra solución.

PRÓXIMOS PASOS

El calendario es la más familiar de las tres herramientas y por ello la más fácil de utilizar. Una vez que lo hayas configurado en tu computadora, considera la posibilidad de instalarlo también en tus dispositivos móviles. Si has decidido utilizar el calendario de Google, este proceso debería ser sencillo en casi todos los dispositivos.

La mayoría de los calendarios electrónicos ofrecen distintas formas de visualización: suelen tener una vista mensual, semanal y a veces diaria. Considera en qué ocasiones sería apropiado utilizar cada una de ellas.

Considera la posibilidad de compartir calendarios entre los miembros de tu familia. Pide a una persona de la familia que se ocupe de mantener el calendario familiar, y pide a los demás miembros que creen su calendario personal. Utiliza la función de compartir calendarios para que todos los miembros de la familia puedan ver los calendarios de los demás.

REÚNE TU INFORMACIÓN

Con tus eventos e información debidamente ubicados, es el momento de considerar tu herramienta para gestión de información, que, como sabes, se utiliza para recopilar, gestionar y acceder a tu información. Es el lugar para los datos, hechos, documentos e información que puedas necesitar en el futuro y funciona como tu cerebro auxiliar.

No pretendo menospreciar el cerebro, que es un órgano asombroso y una evidencia excepcional de la existencia y sabiduría de Dios, pero tiene una capacidad limitada y, aunque es perfectamente capaz de recordar una buena parte de la información trivial, es mejor dedicarlo a cuestiones más importantes. ¿Para qué memorizar los detalles de tu reserva de hotel cuando puedes invertir tu esfuerzo en memorizar la Escritura? La mayoría de información sobre la vida puedes consignarla en tu herramienta de información, para después confiar en que esta herramienta la recordará y te la presentará cuando la necesites. Este método te permite utilizar tu limitada memoria solo para los hechos e información más importantes.

Ya he recomendado Evernote como una herramienta eficiente para la gestión de información, y a medida que avancemos explicaré cómo instalar y utilizar esta aplicación. En caso de que hayas escogido otro software, aun así deberías poder seguir los mismos principios y configurarlo de manera similar. Lo importante no es que utilices Evernote, sino que te sirvas de alguna herramienta capaz de reunir y organizar tu información de una forma lógica y jerárquica y que te permita acceder a ella.

Evernote imita un sistema de recopilación de información de la vida real y ofrece tres niveles de jerarquía: notas, libretas y pilas. Las notas (fragmentos individuales de información) van en las libretas (colecciones de notas relacionadas). Las libretas pueden agruparse en pilas de libretas (colecciones de libretas relacionadas). Todo es muy intuitivo: las notas se combinan para formar libretas, y estas para crear pilas de libretas: como hojas de papel en una libreta de anillas, y las libretas en un estante.

CONFIGURACIÓN

Lo primero que debes hacer es visitar evernote.com/intl/es-latam/ y descargar el software. Recomiendo encarecidamente hacer la instalación y configuración inicial en una computadora en lugar de en un dispositivo móvil. Una vez descargada la aplicación, proceder a instalarla y abrirla. Cuando la hayas abierto, tendrás que crear una cuenta utilizando tu dirección de correo electrónico.

Por defecto Evernote viene solo con dos libretas: "Primera libreta" (*First Notebook*) y "Papelera". Cambia el nombre de "Primera libreta" a "Bandeja de entrada".

A continuación, toma la hoja de trabajo que utilizaste para definir tus áreas de responsabilidad. Vamos a comenzar creando un espacio para almacenar información relacionada con tu área de responsabilidad personal. Crearemos una libreta para cada una de las funciones y tareas y luego las pondremos juntas en una pila.

Echa una ojeada a tu área de responsabilidad personal y crea una libreta que se corresponda con cada una de las funciones o los proyectos para los que puedas querer recopilar y archivar información. Una vez que hayas creado estas libretas, júntalas en una pila y llámala "Personal". (Sugerencia: para crear una pila de libretas, arrastra con el ratón una libreta sobre otra y suéltala; repite después la misma operación con el resto de libretas).

A estas alturas deberás tener una pila que contenga todas las libretas relacionadas con tu área de responsabilidad personal, además de otras dos libretas: Bandeja de entrada y Papelera.

Ahora ve a cada una de tus otras áreas de responsabilidad y repite el mismo proceso: crea una libreta para cada una de las funciones o los proyectos para los que puedas querer recopilar y archivar información, y júntalas en pilas de libretas.

Si piensas que tienes que añadir más libretas o pilas para cosas aparte de tus funciones o proyectos, siéntete libre para crearlas. Intenta, sin embargo, no añadir libretas innecesariamente y tener siempre el menor número posible. Asegúrate de que cada libreta que creas encaja en alguna de tus pilas (a excepción de la Bandeja de entrada y la Papelera).

He aquí algunos ejemplos de mi Evernote personal.

- Pila de libretas: Familia
  - Libreta: Finanzas
  - Libreta: Vacaciones
  - Libreta: Atención espiritual
- Pila de libretas: Iglesia
  - Libreta: Centro de atención durante el embarazo
  - Libreta: Caja de herramientas pastorales

- – Libreta: Reuniones de miembros
- Pila de libretas: Personal
  - – Libreta: Productividad
  - – Libreta: General
  - – Libreta: Buena forma física

Cada una de estas libretas se corresponde con alguna de mis funciones, tareas o proyectos.

Esta configuración básica no debería tomar más que unos minutos. Cuando acabes este ejercicio tendrás una pila de libretas para cada una de tus áreas de responsabilidad y cada pila contendrá las libretas relacionadas con esa área. Aparte de esto, tendrás solo otras dos libretas: Bandeja de entrada y Papelera.

Acción: Crea tus libretas y pilas.

CÓMO ORGANIZAR EVERNOTE

Una de las características que hace a Evernote especialmente eficiente es su adaptabilidad: hay muchas formas distintas de utilizar este programa y con todas ellas los beneficios obtenidos son muchos. Hay básicamente dos filosofías para organizar la información en Evernote, mediante etiquetas o por medio de libretas, y ambas tienen sus puntos fuertes.

Las libretas te permiten encontrar información pulsando con el ratón entre tus pilas, libretas y notas. Es como si accediéramos a la información de un determinado libro yendo primero a la estantería correspondiente, seleccionando luego el libro y, finalmente, encontrando la página que buscamos. Las etiquetas, por otra parte, están especialmente pensadas para que puedas encontrar información por medio de búsquedas, un procedimiento que se parece mucho a acceder a la información mediante un motor de búsqueda como

Google. No hay nada malo en explorar ambas opciones y decidir cuál de ellas prefieres, pues quizá sientas que una de ellas es más intuitiva o que encaja mejor en la clase de información que tienes que añadir a Evernote. No importa mucho cuál de estas opciones decidas usar, pero sí es vital que te decidas por una y que te comprometas completamente con ella.

Personalmente prefiero depender de las libretas y recomiendo este método como punto de partida; no obstante, añado también etiquetas como datos adicionales cuando creo que tiene sentido hacerlo. Si tú también prefieres la opción de las libretas, recuerda que es conveniente añadir al menos un poco de información a cada nota que creas.

- *Debes* poner cada nota dentro de una libreta.
- *Puedes* poner una etiqueta a cada nota.

Acuérdate siempre de seguir nuestro precepto: *Cada cosa en su sitio y cada oveja con su pareja.* Acuérdate también de hacer *algo* con *cada cosa*: cada información debe tener de algún modo un sitio y ser almacenada con información parecida. Si tienes veinte notas sobre un coche nuevo del que estás recogiendo información, ponlas todas en la misma libreta; si tienes cinco notas sobre las próximas vacaciones, ponlas todas en la misma libreta.

CÓMO AÑADIR INFORMACIÓN

Ahora que has configurado Evernote, ha llegado el momento de comenzar a introducir tu información, lo que Evernote llama "notas". Los puntos fuertes de Evernote son sus utilidades para capturar, archivar y recuperar información, casi de cualquier clase.

Evernote posee herramientas muy eficientes para capturar información. Puedes:

- Reenviar mensajes desde tu cuenta de correo electrónico.
- Utilizar la aplicación de celular para escanear facturas o documentos.
- Utilizar un escáner para digitalizar y eliminar papeleo.
- Utilizar la aplicación de celular para escanear tus notas manuscritas de una reunión.
- Utilizar el micrófono de tu computadora o celular para grabar apuntes de voz.
- Utilizar Web Clipper para capturar el contenido de cualquier página web.
- Utilizar Web Clipper para capturar tus notas y textos resaltados de Kindle.
- Utilizar la cámara de tu celular para añadir fotografías.
- Utilizar la cámara de tu celular para capturar la última sesión de pizarra electrónica.
- Utilizar la aplicación de Skitch para capturar información de la pantalla de tu computadora.
- Arrastrar documentos de Microsoft Word y Excel para guardarlos en Evernote.
- Añadir documentos en pdf e introducir en ellos textos resaltados y notas desde Evernote.

Y esto es solo el comienzo. Evernote puede gestionar casi cualquier tipo de datos. Una vez introducidos estos datos, Evernote comienza a procesarlos, los añade a tu base de datos personal, y empieza a buscar palabras clave en ellos. Busca en Evernote la palabra "actas" y es posible que encuentres hasta la fotografía de las notas que garabateaste en la pizarra durante la última reunión.

Aquí tienes algunos ejemplos de mi Evernote:

- Pila de libretas: Familia
  - Libreta: Finanzas
    - Nota: Extracto de noviembre de la tarjeta de crédito (un fichero pdf con el extracto de mi tarjeta de crédito).
    - Nota: "Cómo sacarle el máximo partido al programa Aeroplan de Air Canada" (artículo copiado de una página web).
    - Nota: Informe de crédito (pdf con mi informe y puntaje de crédito más recientes).
  - Libreta: Vacaciones
    - Nota: "El mejor día para comprar billetes de avión" (artículo copiado de una página web).
    - Nota: Reserva de hotel (copia de la confirmación de un hotel para nuestras próximas vacaciones).
    - Nota: Cosas que hacer en Orlando (mensaje de un amigo describiendo las mejores atracciones de Orlando).
- Pila de libretas: Iglesia
  - Libreta: Centro de atención durante el embarazo
    - Nota: Actas de la reunión de la junta ejecutiva del CAE (documento de Word enviado por el secretario del consejo).
    - Nota: "Cumplimiento de la legislación anti-spam" (artículo copiado de una página web).
    - Nota: Presupuesto de este año (hoja de cálculo de Excel).
- Pila de libretas: Personal
  - Libreta: Productividad

- Nota: Charles Spurgeon sobre la puntualidad (cita larga copiada y pegada de una página web).
- Nota: "Productividad bíblica" por C. J. Mahaney (pdf de la excelente serie sobre productividad del blog de C. J. Mahaney).
- Nota: Hoja de trabajo sobre productividad (copia en pdf de un documento sobre planificación que suelo repartir cuando doy una charla sobre productividad).
- Nota: Pensamientos aleatorios (grabación de voz con algunos pensamientos sueltos sobre productividad).
- Libreta: General
- Nota: Biblioteca de John MacArthur (fotografía de mi libro *Discernimiento: Una disciplina práctica y espiritual* en la biblioteca de John MacArthur).
- Nota: Cafetera francesa (guía en pdf para preparar una taza perfecta de café con una cafetera francesa).

Uno de los principios que debes conocer sobre Evernote es que cuanto más te comprometes a usarlo y más información consignas, más eficiente es. Un compromiso a medias aporta resultados mediocres, mientras que con un compromiso total los resultados son mucho más sustanciosos. No te apresures a abandonar su uso y no pienses que has de utilizarlo con cuentagotas.

Acción: Añade algo de información a Evernote y archiva cada nota de forma apropiada.

DINÁMICA DE TRABAJO

Por último, tenemos que hablar de una dinámica de trabajo con Evernote, de la manera de integrar esta herramienta en tu vida.

Siempre que te encuentres con información que quieras retener o recordar potencialmente, añádela a Evernote: utiliza tu computadora, celular, tableta o navegador; añade información de forma indiscriminada. Aunque no estés seguro de que vayas a necesitarla, añádela ahora y aplaza la decisión de retenerla o no para más adelante. No dejes información que quieras recordar en la bandeja de entrada de tu correo electrónico o en la carpeta de descargas de la computadora. Añádelo todo a Evernote.

Cuando añades información a Evernote, esta se consignará automáticamente en la bandeja de entrada, pero como esta tiene todas las notas sin filtrar ni clasificar, tendrás que acceder a ella con regularidad para procesarlo todo (hazlo al menos una vez por semana). Procesar la bandeja de entrada de Evernote significa examinar brevemente cada nota y tomar una decisión sobre ellas. Tienes solo dos opciones:

- *Tírala a la papelera.* Si es información que ya no necesitas, tírala a la papelera.
- *Muévela.* Si es información que quieres mantener, muévela a una libreta existente o crea una nueva libreta para ella. Añade además alguna etiqueta apropiada.

Cuando quieras acceder a alguna información de Evernote, puedes buscarla directamente en la pila y libreta que la contienen o bien realizar una búsqueda. La función de búsqueda de Evernote es muy eficiente y sacarás buen partido del poco tiempo que inviertas para aprender a usarla bien. Cuanto más te familiarices con esta función, más fácil te será acceder rápidamente a tu información archivada.

PRÓXIMOS PASOS

Una vez que hayas configurado Evernote en tu computadora,

plantéate formas de ampliar su funcionalidad. Considera la posibilidad de añadir Web Clipper (evernote.com/intl/es-latam/webclipper/) a fin de poder añadir de forma fácil y rápida contenido de páginas web.

Cuanto más utilices Evernote, más importante será la seguridad. Aunque Evernote ofrece una sólida protección y encriptación, puedes aumentarla todavía más con el sencillo paso de la doble autenticación: esto significa que quienes quieran acceder a tu cuenta necesitarán no un solo elemento de seguridad como tu contraseña, sino también un segundo elemento que generalmente es tu celular. Este paso incrementa enormemente la dificultad que experimentarán para acceder a tu cuenta.

Anteriormente creaste declaraciones de misión para cada una de tus áreas de responsabilidad. Crea una nota y consígnalas todas ahí: estas declaraciones vivirán ahora en Evernote.

Finalmente, considera la posibilidad de buscar algunos tutoriales de Evernote, que son abundantes en YouTube. También encontrarás en Amazon una gran cantidad de libros breves y baratos pero útiles que mejorarán tu manejo de Evernote.

UNA NOTA
SOBRE HACER EL BIEN

Durante cuatro capítulos consecutivos hemos hablado de herramientas, considerando cómo configurarlas y utilizarlas en la vida diaria. Antes de avanzar y considerar cómo activar estas tres herramientas para que trabajen en armonía, quiero recordarte por qué hacemos todo esto. Con la vista puesta en el árbol sería fácil dejar de ver el bosque, así que levantemos de nuevo la mirada.

Estamos comprometidos con la productividad y con una concepción claramente cristiana de ella. La productividad es *administrar de manera eficiente tus dones, talentos, tiempo, energía y entusiasmo para el bien de otras personas y para la gloria de Dios.* La razón por la que utilizamos estas herramientas es que ellas optimizan nuestra eficiencia en este llamado. No estamos trabajando para nuestras herramientas, son ellas las que deben trabajar para nosotros. Todo lo que estamos haciendo en estos capítulos pretende ayudarnos en nuestro gran deseo de glorificar a Dios haciendo bien a los demás.

VIVE
EL SISTEMA

Si miras honestamente tu vida, verás, inevitablemente, momentos en que has estado muy motivado y otros en que casi no te has sentido estimulado por nada. Estos momentos de elevada motivación se producen normalmente en Año Nuevo, al comienzo de un nuevo ciclo escolar o cuando tu vida experimenta una importante transición. En estos momentos te encanta ser organizado y eres capaz de vivir una vida estructurada; durante cierto tiempo todo va bien y la productividad es fácil y divertida; sin embargo, con el tiempo caes en la pereza, llegas a estar muy ocupado o estresado y lo que antes era divertido se convierte en agotador. Y sin apenas darte cuenta estás de nuevo en el mismo punto en que empezaste. ¿Por qué se produce esta regresión? ¿Por qué se repite este patrón?

La motivación, como la luna, crece y mengua. Unas veces está redonda y resplandeciente y otras parece completamente escondida. La motivación imparte el deseo y la energía para comenzar a hacer cambios en tu vida, pero es incapaz de sustentarlos. Sin embargo, esto no significa que no puedas ser productivo cuando baja la motivación. Como muchos han señalado, la motivación te lleva a comenzar, pero el hábito te mantiene en marcha. Debes utilizar estos períodos de motivación elevada para construir hábitos e integrar estos dentro de un sistema. De este modo, cuando la motivación se desvanece, el sistema te mantendrá en marcha.

EL PODER DEL SISTEMA

Aunque estás llamado a hacer bien a otras personas y a glorificar a Dios cada momento de cada día, no es posible estar pensando en ello constantemente. Cuando te sientas en la oficina para hacer tu trabajo es improbable que te preguntes continuamente: "¿Cómo puedo glorificar a Dios en este trabajo?"; cuando llevas a tu hijo a desayunar posiblemente no estés pensando: "¿Cómo puedo hacerle bien y glorificar a Dios durante la hora siguiente?". Quizás deberías hacerlo y todos tenemos, sin duda, mucho margen de crecimiento.

Sin embargo, hay una solución que está en los sistemas. ¿Qué es un sistema? Un sistema es un "conjunto de cosas que relacionadas entre sí ordenadamente contribuyen a determinado objeto"[9]. Los sistemas tienen múltiples partes que actúan conjuntamente hacia una meta común.

Imagínate que se te hubiera encomendado la tarea de construir un ferrocarril para transportar mercancías desde donde vives a una ciudad situada a treinta kilómetros de distancia. Tendrías que construir un sistema que estaría formado por toda clase de elementos: vías, agujas, locomotoras, vagones, mecanismos para cargar los trenes, señales para controlar el tránsito, etcétera. Aunque este sistema estaría formado por una compleja colección de partes, una vez construido funcionaría como un todo. Si estuviera bien construido, funcionaría sin problemas y de manera eficiente.

Tú, sin embargo, no tienes que construir un ferrocarril, sino una vida productiva, que haga bien a los demás, y para conseguirlo necesitarás un sistema. Un sistema de productividad es una serie de métodos, hábitos y rutinas que te permiten ser más eficiente en el conocimiento de lo que debes hacer y en su aplicación. Para que un sistema sea efectivo debe identificar, invertir y apoyarse en herramientas apropiadas que, al operar juntas, te permiten trabajar sin problemas y de manera eficiente, dedicando el tiempo y atención apropiados a las tareas más importantes.

Para ser productivo necesitas un sistema. Tienes que construirlo, utilizarlo, perfeccionarlo y depender de él. Tu sistema debe ganarse tu confianza para que puedas estar seguro de que recordará lo que debe recordar, te alertará de lo que es urgente, te dirigirá a lo que es importante y te apartará de las distracciones.

Tu sistema creará espacios para que tengas momentos de reflexión deliberada en los que consideres y planees cómo puedes hacer bien a otras personas y, de este modo, glorificar Dios. Puedes estructurar tu vida y vivir dentro de un sistema de modo que, día tras día y semana tras semana, estés ejecutando planes y proyectos que reflejen el tiempo que has pasado considerando cómo llevar a cabo esas buenas obras que le glorifican.

TRES HERRAMIENTAS, UN SISTEMA

Has seleccionado tus herramientas, las has configurado y has comenzado a utilizarlas; ahora debes desarrollar los procedimientos que te permitirán utilizarlas juntas y depender de ellas. Tienes que hacer que estas herramientas funcionen conjuntamente en un sistema simple pero efectivo.

Tus herramientas funcionan conjuntamente para ayudarte a

planificar y realizar tu trabajo a lo largo del día. Esto significa que en tu jornada habrá dos fases: planificación y ejecución. En la fase de planificación harás tus planes para el día y en la de ejecución llevarás a cabo tus tareas. Aunque la planificación no tiene que llevarte mucho tiempo, es una fase muy importante y, cuando se realiza correctamente, aumentará significativamente tu productividad durante el resto del día.

Tus herramientas tienen funciones ligeramente distintas en la fase de planificación y en la de ejecución. En la etapa de la planificación, tu herramienta de programación te muestra el tiempo de que dispones durante el día que tienes por delante, el gestor de tareas te informa de las tareas que tienes por hacer y tu herramienta de información te asegura que dispones de la información necesaria. Después, durante la fase de ejecución, tu herramienta de programación te notifica cualquier evento, reunión o cita pendiente, tu gestor de tareas te dice lo que debes hacer y tu herramienta de información te proporciona la información que necesitas para hacer estas cosas.

PLANIFICACIÓN DIARIA

Quizás hayas oído esa frase que dice: "No planear es planear el fracaso". Si no planeas nada, no debe sorprenderte que no consigas nada. Aunque en ocasiones hay que planificar con mirada estratégica y a largo plazo, nuestra primera preocupación es la planificación diaria y táctica. Un sistema de productividad eficiente depende por completo de una fase de planificación breve y diaria que asigne un horario a las tareas y determine qué elementos recibirán atención a lo largo de aquel día.

CORAM DEO

Para administrar eficientemente el tiempo a lo largo del día tienes que saber cuáles son las tareas posibles y cuáles las necesarias, así como de cuánto tiempo dispones para llevarlas a cabo; con esta información puedes comenzar a introducir tareas en tu horario como piezas de un rompecabezas, asignando un espacio temporal a cada tarea: esto es lo que tienes que hacer durante la fase diaria de planificación, cuyo propósito es considerar todos tus proyectos, deberes y citas para decidir en un espíritu de oración a qué tareas te dedicarás aquel día. Para hacerlo seguirás la rutina de poner delante de ti todas las tareas posibles para poder escoger aquellas que intentarás llevar a cabo.

Cada persona desarrollará esta rutina de manera ligeramente distinta. A continuación propondré una rutina; sugiero que la utilices como punto de partida y la vayas adaptando a medida que avances. A mi fase diaria de planificación la llamo *coram Deo*, una expresión latina que significa "en la presencia de Dios" y de la cual me sirvo porque me ayuda a recordar cada día para quién vivo en última instancia. R. C. Sproul explica sus implicaciones: "Vivir *coram Deo* es vivir toda nuestra vida en la presencia de Dios, bajo su autoridad y para su gloria"[10]. La persona que vive con una conciencia de la presencia de Dios, bajo su autoridad y anhelando glorificarle estará muy motivada para hacer el máximo bien posible a otras personas.

Acción: Abre Todoist y crea un nuevo proyecto llamado Evaluaciones (también puedes llamarlo Coram Deo), el cual no se sitúa en ninguna de tus áreas de responsabilidad, pero existirá junto a ellas. Añade seis tareas dentro del proyecto:

- [Concéntrate] Ora.
- [Despeja] Vacía: Bandeja de entrada de tareas.

- [Actualiza] Comprueba: Calendario y alertas.
- [Actualiza] Comprueba: Tareas en espera.
- [Actualiza] Comprueba: Predicción para los próximos siete días.
- [Ponte en marcha] Decide: Principales tareas de hoy.

Programa todas las tareas para que se repitan cada día a la hora en que empieza tu jornada laboral o antes. Puedes hacerlo pulsando en la tarea y escribiendo "cada día a las 6 a.m." o "cada día a las 9 a.m." en la casilla "Programar".

LA RUTINA

Al comienzo de tu jornada laboral, antes de hacer ninguna otra cosa, abre Todoist y dirígete a la pantalla "Hoy" para realizar tu evaluación diaria. Cada día verás estas seis tareas esperándote y tendrás que hacerlas todas. A medida que las termines verás que la fecha de vencimiento cambia al día siguiente, indicando que has completado la tarea y que mañana también deberás llevarla a cabo.

Permíteme describir cada una de estas tareas.

- [Concéntrate] Ora.
  - Propósito: Reconocer tu dependencia de Dios y pedir su ayuda.
  - Acciones: Haz una pausa para orar brevemente, entregando el día al Señor y pidiéndole que te ayude a utilizarlo para su gloria. Pídele sabiduría para entender cómo puedes utilizar mejor el día para hacer bien a los demás, además de gracia para hacerlo bien.
- [Despeja] Vacía: Bandeja de entrada de tareas.
  - Propósito: Comprobar que cada tarea haya sido debidamente asignada a un proyecto.

- Acciones: Ir a la bandeja de entrada de Todoist y procesarla asignando a un proyecto todos los elementos que haya en ella. Borra, realiza, aplaza, o delega cada tarea. Cuando sea posible asígnale también una fecha de vencimiento. No vayas al paso siguiente en Coram Deo hasta que la bandeja de entrada esté vacía.

• [Actualiza] Comprueba: Calendario y alertas.

- Propósitos: Asegúrate de no olvidar ninguno de los eventos, citas o reuniones de hoy, y calcula cuánto tiempo puedes dedicar a las tareas.

- Acciones: Abre el calendario y busca todas las reuniones o citas programadas para hoy. Comprueba cada una de ellas y asegúrate de que has programado las notificaciones que necesitas. Haz una nota del tiempo que te queda para dedicarte a distintas tareas.

• [Actualiza] Comprueba: Tareas en espera.

- Propósito: Determinar si tienes que contactar con otras personas hoy para hablar de proyectos en los que, aunque tú seas el responsable, ellas tengan que dar el siguiente paso.

- Acción: Tu sistema de productividad tiene que hacer un seguimiento de aquellas tareas que hayas asignado a otras personas, pero de las que tú eres el responsable último. Independientemente de cómo hagas el seguimiento de estos elementos, comprueba si hay alguno que haya sido completado o para el que tengas que enviar algún recordatorio.

• [Actualiza] Comprueba: Predicción para los próximos siete días.

- Propósito: Tener presentes las fechas límite inminentes.
- Acciones: Usando la vista "Próximos 7 días", echa una mirada a las fechas de vencimiento de este período. Haz una nota de las fechas límite inminentes.
• [Ponte en marcha] Decide: Principales tareas de hoy.
- Propósito: Determinar las tareas que vas a intentar llevar a cabo hoy.
- Acción: Fíjate en la vista de los próximos siete días para considerar las tareas en espera y comienza a decidir aquellas que vas a intentar llevar a cabo hoy. Aquí es cuando asignas una franja de tiempo a las tareas. Pon la fecha de vencimiento de estos eventos para hoy. Si utilizas las banderitas de prioridad de Todoist, puedes poner también una de ellas.

Esta primera evaluación no implica asumir un compromiso serio y debería hacerse en unos cuatro o cinco minutos. No obstante, esta pequeña inversión abona elevados dividendos. Al terminarla, habrás considerado todas las cosas que puedes hacer en el día que tienes por delante, y habrás seleccionado aquellas que vas a llevar a cabo (o que al menos planeas hacer). Son cuatro o cinco minutos bien invertidos.

EJECUCIÓN DIARIA

Una vez completada la etapa de planificación, ya estás preparado para la ejecución de las tareas. Ahora cuentas con la ayuda de tus herramientas: Todoist para decirte las opciones que tienes a tu alcance, Evernote para ofrecerte la información que necesitas para realizar tus tareas, y el calendario para recordarte los eventos, reuniones o citas pendientes.

Al iniciar esta fase, consulta Todoist, decide una tarea y comienza a hacerla. Y aquí es donde mi guía específica va a tener que detenerse, puesto que tu vida y la mía pueden ser muy distintas.

Sin embargo, aunque no puedo decirte cómo tienes que hacer tu trabajo o acabar tus tareas, sí puedo ofrecerte algunos consejos.

UTILIZA LAS TRES HERRAMIENTAS

Ya conoces nuestro principio organizador: *Cada cosa en su sitio y cada oveja con su pareja*. Aunque en la mayoría de los casos es muy sencillo distinguir entre información, tareas y eventos, a veces no está tan claro, especialmente en el caso de las tareas y los eventos. Vamos a considerar unos cuantos elementos distintos para ver si deben ir al calendario o a la gestión de tareas:

- *Cita médica el lunes a las 9 a.m.* Este elemento hay que ubicarlo en el calendario porque es una cita que requiere que estés en un determinado lugar a una hora concreta.
- *Comprar bolígrafos*. Esta nota va a la gestión de tareas puesto que es una acción, no un evento, una reunión o una cita.
- *Abrir una nueva cuenta bancaria*. Esta nota va a la gestión de tareas porque es una acción que debe llevarse a cabo. Aunque al final puede que haya una reunión relacionada con la acción, mientras tanto sigue siendo una tarea.
- *Conferencia telefónica el miércoles a las 4 p.m.* Este evento debes ubicarlo en el calendario, porque es una reunión y requiere que estés en un lugar específico a una hora concreta.
- *Vencimiento del manuscrito del libro*. Esta nota va a la gestión de tareas porque es una tarea o un proyecto, no un evento, una reunión o una cita.

Todos estos ejemplos son bastante fáciles de entender, sin

embargo, en ocasiones tendrás que crear citas en el calendario y tareas o proyectos en tu gestor de tareas. Considera estos ejemplos:

- *Estudio bíblico.* Supongamos que asistes a un estudio bíblico semanal y que te han pedido que lo dirijas una vez al mes. Lo que harás será crear un evento en tu calendario llamado "estudio bíblico" y programarlo cada miércoles a las 7 p.m. (este paso te recuerda que debes estar en cierto lugar a una hora específica). También crearás una tarea en tu gestor de tareas llamada "Preparar: estudio bíblico" y establecerás una fecha de vencimiento (esta acción te recuerda que tienes que prepararte para esa reunión). El calendario te da la seguridad de que has fijado el tiempo y la tarea de que te prepararás para la reunión. Puedes también crear una nota en Evernote llamada "estudio bíblico" (archivada en la libreta y pila apropiadas) donde reunir todas tus ideas y material.

- *Preparar impuestos.* Eres responsable de enviar tu información tributaria al gobierno y para hacerlo tienes que preparar material y después reunirte con tu contable. Crearás un evento en tu calendario llamado "Reunión con el contable" y lo programarás para el jueves a las 3 p.m. (este paso te recuerda que debes estar en cierto lugar a una hora específica). También crearás una tarea en tu software de gestión llamado "Preparar: información tributaria" y le pondrás como fecha de vencimiento el próximo jueves. El calendario garantiza que has reservado hora para reunirte con el contador y la tarea te asegura que estarás preparado. En Evernote tendrás documentos escaneados de tus facturas o una copia de la declaración de renta del año anterior.

CONÓCETE

Sacar adelante las tareas no solo requiere administrar bien el tiempo, sino también la energía. En muchas vocaciones y lugares de la vida, el activo más valioso no es el tiempo sino la energía. Como el tiempo, esta se convierte en un recurso limitado y debe utilizarse de manera estratégica. Puede que estés dedicando una gran cantidad de tiempo a ciertas áreas de la vida, pero si esta actividad la llevas a cabo cuando tu energía está en su punto más bajo, tu productividad será baja.

Tienes que conocerte a ti mismo. ¿En qué momentos del día estás más activo y lúcido mentalmente? ¿En qué momentos eres menos eficiente? ¿Te desempeñas mejor por las mañanas, o bien eres acaso un ave nocturna o un guerrero de media tarde? Planea utilizar tus momentos de más energía para hacer tus tareas más importantes. Intenta programar aquellos trabajos que requieren mucha concentración y dinamismo mental para aquellas franjas de tiempo de alta energía. En esta categoría estaría el trabajo creativo o, posiblemente, aquellas tareas que requieran escuchar a otras personas y relacionarse activamente con ellas. Procura programar trabajos que requieran poca concentración en aquellas franjas en que tu energía es baja. En esta categoría están las tareas administrativas, gestiones y recados, y ordenar el escritorio.

HAZ PRIMERO LAS TAREAS MÁS DIFÍCILES

Es probable que, a menudo, comiences el día con una lista de varias tareas y tengas que decidir cuál de ellas vas a hacer primero. Es también probable que varias de tus tareas sean muy sencillas y solo requieran unos minutos, mientras que al menos una de ellas será abrumadora y supondrá invertir mucho más tiempo.

Aunque es tentador dedicarte a varias tareas pequeñas y reducir sustancialmente la lista, a menudo es mucho más productivo dirigirte directamente a la tarea más difícil. Llevar a cabo nueve o diez tareas poco importantes y descuidar la que tiene más prioridad puede hacerte sentir mejor, pero es una decisión contraria a la verdadera productividad. Intenta hacer lo más difícil primero, cuando tienes más energía y lucidez.

HAZ PRIMERO TU TRABAJO

Uno de los grandes beneficios de planificar el día es que vas a comenzarlo sabiendo qué tareas debes priorizar, así que intenta realizarlas antes de iniciar aquellas que puedan asignarte otras personas. Es posible que este consejo no pueda aplicarse a todos los trabajos y entornos laborales, pero como dice Greg McKeown: "Si tú no priorizas tu vida, lo hará otra persona"[11].

ESPERA FRACASOS

Sé que suena desalentador, pero a veces vas a fallar. Muchos días no vas a conseguir hacer todo lo que hay que hacer. C. J. Mahaney nos recuerda: "Solo Dios termina cada día su lista de tareas"[12]; los demás hacemos lo que podemos y algunos días nos quedamos cortos. Si al final del día una de tus tareas ha quedado por hacer, limítate a ponerla de nuevo en tu sistema, cambiando la fecha de vencimiento a mañana o al día que puedas volver a trabajar en ella. No te desanimes por tu incapacidad de hacerlo todo.

RECUERDA TU PROPÓSITO

A medida que vas sacando tu trabajo adelante, sin duda vas a tener que recordarte una y otra vez cuál es tu propósito. El sentido de tu existencia en este mundo no es que hagas cosas, sino que existes para glorificar a Dios haciendo bien a otras personas: recuérdate a menudo esta importante verdad.

PRIORIDADES E INTERRUPCIONES

Una de las ideas erróneas más extendidas sobre la productividad es que las personas productivas y organizadas siempre cumplen sus fechas límite, nunca tienen que pedir un aplazamiento y jamás se encuentran en aprietos al final de la semana. Esta, sin embargo, no es la forma correcta de medir la productividad. ¿Por qué? Porque Dios es soberano y tú no. Aun cuando organices tu vida y planees diariamente tu actividad, va a haber momentos en que no cumplirás tus metas y otros en que te sentirás abrumado. Tu responsabilidad es planear, organizar y ejecutar tus tareas lo mejor posible, pero sabiendo que las circunstancias y la providencia pueden interrumpir y retrasar hasta tus mejores planes. Y no solo eso, sino que estableces y administras tus prioridades con la información de que dispones, la cual, no obstante, es siempre limitada.

Antes de pasar a nuestro último capítulo, consideremos brevemente el asunto de las prioridades y las interrupciones.

ELIGE TUS PRIORIDADES

Ha quedado claro que cada día habrá muchas cosas que *podrías* hacer, pero solo algunas que realmente *puedes* hacer. Siempre habrá mucha más posibilidad que capacidad. Una buena parte de tu productividad dependerá, por tanto, de priorizar, de saber escoger unas pocas cosas y descuidar, ignorar, o hasta rechazar abiertamente muchas otras. Esta decisión es a menudo muy difícil porque hay muchas cosas buenas por hacer y muchas oportunidades que puedes aprovechar. A cualquier escritor le gustaría escribir cien libros más de los que puede; a cualquier pastor le encantaría programar cien reuniones más, y a cualquier madre disfrutar de cien conversaciones más con sus hijos de las que son posible.

Quiero proponerte cuatro breves y sencillos consejos sobre escoger tareas prioritarias.

1. PLANEA

Es importante hacer planes. La etapa de planificación y la revisión semanal (ver el próximo capítulo) son eficientes estrategias para planificar tus prioridades tanto a nivel general como en detalle. Esta planificación aporta a menudo una gran medida de claridad al proceso de priorizar. C. J. Mahaney está de acuerdo: "Mi experiencia confirma que, si no me enfrento a la semana con una planificación teológicamente informada, esta me ataca a mí asaltándome con lo urgente... y acabo dedicando más tiempo a lo urgente que a lo importante"[13].

2. ORA

Orar es importante. No, es más que importante: es primordial. La Biblia nos enseña que la oración es el medio que Dios utiliza para llevar a cabo su voluntad, de modo que, cuando oramos, él actúa. La oración es una parte imprescindible de la productividad bíblica, porque nos hace reconocer que Dios es soberano sobre todos nuestros planes, y le suplica que nos ayude a tomar decisiones sabias y que le honren a él. La razón por la que comienzo en oración mi *coram Deo* diario es mi necesidad de pedirle a Dios que me ayude a identificar y priorizar las tareas más importantes del día que tengo por delante, y creo que él responde esta petición.

3. CONSIDERA TUS IDOLATRÍAS

Todos somos proclives a buscar la satisfacción en alguien o en algo aparte de Dios. Al plantearnos las prioridades de cada día, seremos sabios si identificamos nuestras idolatrías y mantenemos una cierta vigilancia sobre ellas, conociendo nuestra tendencia a asumir antes aquellas tareas que nos confirman que aquellas que glorifican a Dios. Siendo como somos personas pecadoras, podemos asumir sutilmente que debemos priorizar aquellas tareas que nos hacen sentir bien antes que las que hacen bien a otras personas.

4. ACEPTA LA TENSIÓN

Es importante entender que priorizar de manera efectiva es más un arte que una ciencia. Siempre hay algunas cosas que, indiscutiblemente, representan una elevada prioridad, y otras cuya prioridad es innegablemente baja, pero la mayoría de ellas se sitúan en algún lugar intermedio y te obligan a tomar decisiones difíciles. Tales decisiones son a menudo más arte que ciencia y muchas veces requieren sutileza y acierto con las conjeturas. Acepta esta tensión, porque posiblemente nunca la resolverás por completo.

ESPERA INTERRUPCIONES

Cualquier sistema de productividad tiene al menos una inevitable debilidad: tu incapacidad de prever el futuro. Durante la etapa de planificación, miras el día por delante y haces una predicción del futuro: prevés disponer de un cierto número de horas y planeas el modo de usarlas, pero las cosas pueden tomar rumbos insospechados. El pastor puede tener que desplazarse inesperadamente al hospital para visitar a un enfermo o accidentado; la madre puede tener que recoger de la escuela a uno de sus pequeños que se ha puesto enfermo; el gestor de cuentas puede ser requerido por su superior para una reunión imprevista: de repente el día ha dado un giro inesperado y tú no lo sabías.

Ante estas interrupciones vas a tener la tentación de reaccionar con indignación o desesperación. Pero como cristiano que confías en la total y absoluta soberanía de Dios sobre este mundo y todos sus asuntos, puedes responder con alegría, aun cuando parezca imposible. Dios tiene sus caminos y propósitos, y no tiene sentido rebelarse contra ellos. C. S. Lewis lo expresa con su estilo inimitable:

Lo maravilloso, si podemos conseguirlo, es dejar de considerar todas las cosas desagradables como interrupciones de "nuestra" vida o de la vida "real". La verdad es, naturalmente, que lo que llamamos interrupciones son precisamente la vida real, la vida que Dios nos manda día tras día. Lo que llamamos "vida real" es un fantasma de nuestra imaginación[14].

Hay otra clase de interrupción, que es la que te obliga a decidir si vas o no a desviar tu tiempo hacia una nueva tarea o proyecto: un marido puede interrumpir a su esposa en sus quehaceres para pedirle que le ayude con un proyecto, y ella tendrá que decidir si accede o no; el empleado puede ver, consternado, que su jefe entra en su oficina para pedirle que asista a una reunión con un cliente, y tendrá que decidir cuál será su respuesta. En la toma de esta decisión, te toca andar en la cuerda floja entre dos pecados: el temor del hombre y el orgullo.

EL TEMOR DEL HOMBRE

Por un lado, te sentirás tentado por el temor del hombre, que se produce cuando agradar a los demás es tan importante para ti que deseas decir sí a todo. Puede que respondas de este modo porque te gusta la respuesta de esta persona cuando dices sí o porque temes las consecuencias de decir no, pero en cualquier caso tu temor del hombre puede generar una respuesta inapropiada que te aparte de las mejores y más elevadas prioridades.

EL ORGULLO

Por otra parte, te sentirás también tentado por el orgullo. El orgullo puede convencerte hasta tal punto de que tú ya sabes cuál es el mejor plan, que dirás que no a todo y no permitirás que nadie (ni siquiera Dios) interrumpa tu programa con algo muchísimo mejor que lo que tú has planeado.

Dado que tu vida es muy proclive a las interrupciones y a los cambios de dirección, tienes que mantener tus planes dejando un cierto margen para la flexibilidad, confiando en que Dios es bueno y soberano. Al mismo tiempo, no puedes ser demasiado flexible o te verás constantemente desviado por cuestiones menos importantes. La solución es acercarte a cada situación con paciencia y en un espíritu de oración, confiando en que, en todas las cosas, Dios será glorificado siempre que huyas del pecado.

DIEZ

MANTÉN EL SISTEMA DE MANERA CONSISTENTE

Tu sistema funciona ahora sin problemas, y día tras día estas sacando tu trabajo adelante, pero todavía no hemos terminado del todo: queda hablar de un asunto importante.

Probablemente te has dado cuenta de que en este mundo no hay nada que tienda hacia el orden. No hay nada en todo este planeta afectado por el pecado que, por sí solo, logre ser más ordenado. Tu sistema de productividad no es ninguna excepción, pues requiere un mantenimiento consistente para poder seguir funcionando sin problemas. Debes evitar la idea de que organizar tu vida sea algo que puedas hacer de una vez, todo lo contrario. El sistema de productividad no es algo que estableces y de lo que luego te olvidas, sino algo que exige una atención disciplinada y regular. No es algo que configuras una sola vez y ya está, sino un procedimiento que debes refinar constantemente.

Estoy seguro de que, por la mañana, cuando te sientas al volante, das un rápido vistazo al cuadro de indicadores, aunque sea un acto casi inconsciente. Cuando arrancas el motor, compruebas que tienes suficiente combustible para llegar adonde vas, te fijas brevemente en que la luz de "control del motor" se apague en su momento y te aseguras de que no hay ninguna advertencia de baja presión en los neumáticos. Estas rápidas comprobaciones de los indicadores, sin embargo, no son lo único que haces para mantener a punto tu vehículo, ya que de vez en cuando tu auto requiere intervenciones más importantes como cambiar el aceite del motor o reemplazar las pastillas de freno gastadas. En nuestra sencilla analogía, la comprobación diaria de los indicadores corresponde a tu planificación diaria o *coram Deo*: es deliberadamente limitada por lo que se refiere a su ámbito y propósito. En este capítulo analizaremos algunos aspectos más importantes del mantenimiento: lo que en productividad equivale a cambiar el aceite del motor y ajustar las pastillas de freno. Esto es lo que haces en tu revisión semanal.

EL PODER DE LAS LISTAS

Quiero ofrecerte una forma sencilla pero eficaz de protegerte contra el sutil avance del caos y el desorden, al tiempo que mantienes la consistencia e integridad de tu sistema.

Mi amigo Steve es piloto y cada semana se sube muchas veces a la cabina de un avión para llevar a doscientas personas a su destino volando a varios kilómetros de altitud. Aunque da la sensación de que volar ha de ser algo aterrador y peligroso, de hecho, es muy seguro, mucho más que la mayoría de las otras formas de viajar. ¿Pero por qué es tan seguro? Naturalmente, hay muchas razones, pero una de las más importantes es que a los pilotos se les adiestra para que sigan procedimientos muy específicos desde el momento en que entran a la cabina hasta que salen de ella, según los cuales verifican que todos los mecanismos del avión funcionan como deben y que han ajustado adecuadamente cada dispositivo y dial y han accionado cada interruptor de forma exacta, precisa y en el orden correcto. Pilotar un avión es un procedimiento muy complicado y requiere mucha más información de la que los pilotos pueden retener, de ahí que ellos dependan de una herramienta sencilla e idónea para ayudarles a recordar todo lo que deben hacer: una lista de control.

Tu vida es sin duda complicada y requiere mucha más información de la que puedes retener fácilmente, así que en muchos casos es sabio delegar algunos de los pensamientos que tienes que recordar a esa misma herramienta. No he encontrado una manera mejor de mantener mi sistema que trabajar con una breve lista cada semana que me ayuda a cerciorarme de que el sistema funciona debidamente; me llama de vuelta al sistema cuando me he alejado de él y se ocupa de mantener la rutina, garantizando que cada parte está funcionando como debe. Esta lista de control es lo que llamo revisión semanal.

SIRVE Y SORPRENDE

Antes de pasar a esta revisión semanal, quiero presentarte un paradigma muy útil.

Hemos establecido que tienes varias áreas de responsabilidad y, dentro de cada una de ellas, una lista de funciones. Se trata de funciones y responsabilidades que Dios te ha confiado. Esta realidad significa que es él quien define tu éxito o fracaso.

Cuando te paras a pensar en tus áreas de responsabilidad, ¿cómo puedes cumplir tu cometido con excelencia en cada una de ellas? No he encontrado una forma mejor que mediante este útil paradigma:

servir y sorprender[15]. Para cumplir con mi cometido como marido he de servir a mi esposa, y para hacerlo con excelencia he de sorprenderla; para cumplir con mi cometido como anciano de la iglesia local he de servir a mi congregación, y para hacerlo con excelencia debo sorprenderla. Permíteme explicar esto un poco más.

Como cristianos estamos llamados a servir a Dios por medio del servicio a los demás. Somos esclavos o siervos de Dios y se nos llama a imitar a Jesucristo quien nos sirvió gozosamente de la forma más costosa y significativa. En su carta a los Filipenses Pablo dice:

No considerando cada cual solamente los intereses propios sino considerando cada uno también los intereses de los demás. Haya en ustedes esta manera de pensar que hubo también en Cristo Jesús: Existiendo en forma de Dios, él no consideró el ser igual a Dios como algo a que aferrarse; sino que se despojó a sí mismo, tomando forma de siervo, haciéndose semejante a los hombres; y, hallándose en condición de hombre, se humilló a sí mismo haciéndose obediente hasta la muerte, ¡y muerte de cruz! (Fil. 2:4-8)

Hemos de preocuparnos por los intereses de los demás, servir a los demás. ¿Y por qué debemos hacerlo? Porque queremos ser como Cristo, quien nos sirvió dejando su lugar junto al Padre, haciéndose humano, viviendo en este planeta pecaminoso, sufriendo una muerte terrible y afrontando la ira de Dios por el pecado. Si Cristo nos ha servido tanto, ¿quiénes somos nosotros para negarnos unos a otros aun el más pequeño acto de servicio?

Cuando pensamos en vivir una vida productiva, el *servir* responde a esta pregunta: ¿Qué debo hacer esta semana? ¿Qué cosas he de hacer durante la semana que tengo por delante para ser fiel a lo que Dios me ha llamado en cada una de mis áreas de responsabilidad? ¿Cómo se plasmaría un fiel pastorado en la semana que tengo por delante? ¿Qué debo hacer para ser un marido eficiente para mi esposa? ¿Qué dice Dios que debo hacer con y para mis hijos a fin de ser un padre piadoso y amante?

Servir es algo hermoso, pero podemos hacer algo todavía mejor. Servir representa aquellas cosas que debemos hacer, pero también podemos sorprender. *Sorprender* responde a esta pregunta: ¿Qué puedo hacer esta semana? ¿Cómo puedo desempeñar con excelencia esta función que Dios me ha encomendado? ¿Cuáles son las cosas que podría hacer esta semana para sorprender y deleitar a mis hijos? ¿Qué podría decirle o regalarle a mi iglesia que fuera una bendición inesperada para ella? ¿Cómo puedo ser una imagen fiel del Dios que se deleita en dar buenas cosas a sus hijos (Mat. 7:11)?

Nuestro llamado para todas nuestras áreas de responsabilidad es servir y sorprender. Así, cuando nos ponemos a trabajar con nuestra lista semanal de control, nuestra pregunta debe ser: ¿Cómo puedo servir y sorprender en esta semana que tengo por delante?

LA REVISIÓN SEMANAL

Tu sesión diaria de planificación debe ser táctica: tiene un propósito limitado y un estrecho campo de acción. Sin embargo, la revisión semanal nos ofrece la oportunidad de ser más estratégicos, ensanchando nuestro propósito y campo de acción. Esta revisión nos ofrece la oportunidad de poner en marcha nuevos planes, reiniciar proyectos que se han atascado, y corregir la orientación de otros que están perdiendo el rumbo. Mientras que el *coram Deo* diario es solo cuestión de un par de minutos, la revisión semanal requiere un poco más de tiempo: en mi caso necesito una media hora y la programo para cada viernes por la tarde, a fin de que el domingo, al comenzar una nueva semana, esta esté ya planeada y organizada.

Esta revisión semanal está todavía en fase de desarrollo y de vez en cuando añado o quito algún paso. Pero en general consta de estas acciones:

- [Céntrate] Ora.
- [Despeja] Vacía: Bandeja de entrada de correo electrónico.
- [Despeja] Vacía: Bandeja de entrada de Evernote.
- [Despeja] Vacía: Bandeja de entrada de entrada de tareas.
- [Despeja] Ordena: Mesa de trabajo.
- [Despeja] Ordena: Pantalla de escritorio.
- [Actualiza] Revisa: Calendario para los próximos treinta días.
- [Actualiza] Revisa: Libretas de Evernote.
- [Actualiza] Revisa: Todos los proyectos.
- [Actualiza] Revisa: Próximos siete días.
- [Prepárate] Revisa: Misión.
- [Céntrate] Planea: Sirve y sorprende.
- [Ponte en marcha] Decide: Fechas límite, tareas por entregar y prioridades para la próxima semana.

Como hemos hecho con *coram Deo*, sugiero que empieces copiando mi rutina semanal y después vayas añadiendo y quitando cosas a medida que avances.

A continuación consigno un breve resumen de lo que se puede hacer en cada paso.

- [Céntrate] Ora. Ora brevemente, pidiéndole a Dios que te dé sabiduría para entender las posibilidades para la semana que tienes por delante y para saber cuál de ellas merece más tu dedicación.

- [Despeja] Vacía: Bandeja de entrada de correo electrónico. [Despeja] Vacía: Bandeja de entrada de Evernote. [Despeja] Vacía: Bandeja de entrada de tareas. Ordena tus tres bandejas de entrada para que tu sistema esté limpio y funcionando sin problemas. Debes responder o archivar todos los mensajes (ver el contenido extra al final del libro), toda la información de Evernote ha de colocarse en su libreta correspondiente y todas las tareas archivadas en sus respectivos proyectos. Si tienes una bandeja de entrada física en tu mesa de trabajo o cerca de ella, límpiala también.

- [Despeja] Ordena: Mesa de trabajo. Limpia el espacio físico donde trabajas, archivando documentos, poniendo en su lugar los libros que se hayan ido acumulando, etcétera. Pon cada cosa en su sitio. Considera la posibilidad de ampliar este paso un poco más allá de tu escritorio a cualquier otro lugar en que tienden a acumularse papel, libros y otras cosas. No es necesario que hagas una limpieza completa de tu oficina, pero deberías reunir cualquier cosa que pudiera contener información útil para la planificación de la semana.

- [Despeja] Ordena: Pantalla de escritorio. Limpia los archivos que hayan acabado en el escritorio de tu computadora. Si utilizas una carpeta de descargas, límpiala también. Dondequiera que se acumulen archivos, bórralos o muévelos a su lugar correspondiente.

Cuando hayas terminado estos pasos, todo estará en su lugar de acuerdo con la familiar regla: *Cada cosa en su sitio y cada oveja con su pareja.* Ahora que has despejado tu entorno laboral, puedes comenzar a actualizarte. Vas a consultar tus herramientas para familiarizarte con todos los elementos que requieran tu atención durante la próxima semana.

- [Actualiza] Revisa: Calendario para los próximos treinta días. Mira tu calendario para ver si hay acontecimientos importantes de los que deberías estar consciente. Como no es habitual que deba empezar a trabajar en tareas a más de treinta días, un mes es suficiente para mí, pero puede que en tu caso tengas que ajustar este tiempo para que cubra un período más o menos extenso.

- [Actualiza] Revisa: Libretas de Evernote. Ciertas libretas en Evernote podrían contener información crucial que requiera una revisión regular. Las libretas de cada uno de nosotros serán distintas de acuerdo con las particularidades de nuestra vida, pero un ejemplo podría ser el de un gestor de cuentas que tiene una libreta con información de todos sus clientes: al final de la semana, sería sabio que revisara esta libreta para ver si hay notas que no han sido actualizadas en mucho tiempo (lo cual indicaría que no ha estado en contacto con aquel cliente en mucho tiempo) o alguna nota con información urgente (lo cual indicaría que durante la próxima semana deberá tomar ciertas medidas). Si encuentra este tipo de información, debería crear tareas para comunicarse con los clientes en cuestión o tomar otras medidas apropiadas.

Si tienes libretas con información crítica como esa, inclúyelas en tu proyecto de revisión semanal. No tienes que revisar todas tus libretas, sino solo las pocas que contengan información especialmente importante o que pueda requerir acción.

- [Actualiza] Revisa: Todos los proyectos. Ahora ha llegado el momento de revisar todos los proyectos de tu sistema de gestión de tareas (que, como sabes, en Todoist aparecen como subproyectos). Este es un paso que te sentirás tentado a saltarte, pero no lo hagas. Es difícil exagerar la importancia de este paso para el funcionamiento de tu sistema. Revisa cada uno de tus proyectos al menos una vez a la semana: esta revisión consiste en buscar en ellos determinada información:

- ¿Tiene este proyecto al menos una tarea asignada? ¿Debería añadirle alguna?
- ¿Hay en este proyecto alguna tarea terminada pero que no se haya marcado como tal?
- ¿Tiene este proyecto alguna fecha límite que deba recordar durante la próxima semana?
- ¿Debo añadir o ajustar alguna cosa más de este proyecto?
- [Actualiza] Revisa: Próximos siete días. Abre la vista "Próximos 7 días" en Todoist y fíjate en todo lo que vencerá en ese período. Fíjate en especial en aquellas tareas, proyectos o fechas límite de gran importancia que podrían ir acercándose inadvertidamente.

Al completar estos pasos habrás reunido toda la información que necesitas para tomar decisiones sabias e informadas sobre la semana que tienes por delante. Ahora conoces todas las tareas que *podrías* llevar a cabo durante los próximos siete días. Sin embargo, todavía tienes que decidir cuáles de ellas intentarás realizar. Antes de esto debes, no obstante, llevar a cabo otro paso.

- [Prepárate] Revisa: Misión. Ve a Evernote donde guardas la lista de declaraciones de misión de cada área de responsabilidad. Lee todas las declaraciones. Intenta no leerlas mecánicamente, sino de forma lenta y reflexiva. Si quieres hacer pequeños retoques a estas declaraciones hazlo ahora.

Al completar este paso habrás puesto cada cosa en su lugar,

habrás reunido toda la información que necesitas y te habrás recordado tu misión. Ahora, por fin, puedes ponerte en marcha.

- [Céntrate] Planea: Sirve y sorprende. Considera cada una de tus áreas de responsabilidad y pregúntate cómo puedes servir y sorprender en esta semana que tienes por delante. Considera lo que significa ser fiel en esta área determinada y plantéate lo que puedes hacer para sorprender y deleitar en los próximos siete días. A continuación, crea las tareas apropiadas con sus fechas de vencimiento. Por ejemplo, quizás te des cuenta de que hay áreas básicas de servicio en las que debes mejorar: te has relajado demasiado en las devociones familiares ("Programa: Devociones familiares") o ha pasado demasiado tiempo desde tu última aportación para el sostenimiento de la iglesia ("Extender: Cheque para la iglesia"). Puedes ser creativo en tus formas de sorprender a otras personas: haciéndole un regalo inesperado a tu esposa ("Comprar: Flores para Aileen") o apoyando a alguien de tu iglesia que está pasando por un momento difícil ("Escribir: Tarjeta a Aaron"). Visita www.editorialmh.org/haz-mas-y-mejor para descargar la hoja de trabajo semanal para servir y sorprender.
- [Ponte en marcha] Decide: Fechas límite, tareas por entregar y prioridades para la próxima semana. Al final de esta revisión semanal, decide en qué quieres centrarte durante la próxima semana o semanas. A medida que lo hagas, asigna fechas de vencimiento apropiadas. Un ejemplo: en mi revisión del proyecto Reunión Vespertina, veo que voy a estar predicando el siguiente mensaje de una serie el próximo domingo por la noche, así que pondré el viernes

como fecha de vencimiento para esta tarea. El martes de la próxima semana, cuando realice mi diario *coram Deo* y revise los siete días, veré esta tarea como una opción para ese día y la marcaré con una bandera como una de las más importantes.

MANTENLA

Esta revisión semanal se convertirá pronto en una parte fundamental de tu sistema de productividad. Tu sistema funcionará bien cuando apartes tiempo para esta revisión y comenzará a cojear cuando no lo hagas. Naturalmente, un sistema fuerte podrá soportar breves períodos de descuido: todos tenemos una mala semana o necesitamos tomarnos un respiro, y perdernos una revisión semanal no afectará demasiado al sistema. No obstante, perdernos esta revisión varias semanas seguidas acabará produciendo un importante debilitamiento. Dustin Wax dice acertadamente:

No importa lo organizado que seas, lo concienzudo que seas al procesar tu bandeja de entrada, hacer listas de tareas u organizar el calendario, no importa lo compacto que sea tu sistema, si no haces una pausa de vez en cuando para tener una "visión de conjunto", acabarás sintiéndote abrumado y te limitarás a reaccionar ante lo que caiga sobre ti, en lugar de crear con resolución las condiciones de tu vida[16].

Encuentra un momento para tu revisión semanal, ponla en tu calendario y comprométete a hacerla cada semana. ¡No puedo dejar de insistir en la importancia de esta disciplina!

REFLEXIÓN FINAL

Gracias por leer y escuchar. Durante la preparación de este libro mi oración ha sido que este te estimule al amor y a las buenas obras que Dios nos pone delante (Heb. 10:24). Como humanos creados a imagen de Dios y como cristianos salvados por su gracia, tenemos un privilegio extraordinario: la alegría y la responsabilidad de administrar nuestros dones, talentos, tiempo, energía y entusiasmo para el bien de los demás y para la gloria de Dios. Este es tu privilegio y tu propósito. ¡Así que ponte manos a la obra! Haz más y mejor.

CONTROLA TU CORREO ELECTRÓNICO

SEIS CONSEJOS PARA HACER MÁS Y MEJOR CON EL CORREO ELECTRÓNICO

Creo que la mayoría de nosotros tenemos una relación de amor-odio con el correo electrónico. Por una parte, nos aporta muchos beneficios: a través de él nos llegan noticias, palabras de ánimo de amigos y divertidas notas de la familia; tiene también un inmenso valor práctico, pues acusa recibo del pedido que acabamos de hacer o nos notifica que ha bajado el precio del libro que queremos. Con todo, por supuesto, tiene su lado oscuro: el incesante correo basura, las comunicaciones innecesarias, los boletines periódicos que no hemos pedido y las cadenas que nos auguran mala suerte si no reenviamos el mensaje a otras veinte personas. El correo electrónico se ha convertido en un amasijo de función y disfunción que necesitamos, pero detestamos a la vez.

LA MALA GESTIÓN DEL CORREO ELECTRÓNICO

Para entender mejor por qué tantos de nosotros gestionamos tan mal el correo electrónico, vamos a establecer una comparación con un objeto del mundo real, el buzón de tu casa. Imaginémonos que trataras a tu buzón físico de correo postal igual que al de tu correo electrónico. La cosa sería más o menos así…

Sales a buscar el correo y abres el buzón. En efecto, tienes nuevos envíos. Tomas una de las cartas, la abres y comienzas a leerla. Cuando vas por la mitad te das cuenta de que no es muy interesante así que la pones de nuevo en el sobre y la devuelves al buzón renegando: "Después veré lo que hago". Abres la siguiente y ves que es un poco más interesante, pero haces lo mismo: la colocas de nuevo en su sobre y la devuelves al buzón. Sacas otra carta y ni siquiera te molestas en leerla, simplemente la pones de nuevo en el buzón. Y como se podría esperar, tu buzón queda pronto atestado por una combinación de cientos de cartas que no has abierto ni leído y otros cientos que has abierto y leído total o parcialmente.

No obstante, la cosa se pone peor porque no solo utilizas el buzón para recibir y guardar las cartas, sino también para mantener tu calendario de citas y eventos. Metes la mano hasta el fondo del buzón y sacas un manojo de papeles en los que has consignado fechas y eventos importantes, entre ellos algunos que ya han pasado sin que te enteraras siquiera. Y, naturalmente, también utilizas el buzón para guardar tus listas de tareas, de modo que tienes notas por todas partes donde has garabateado las cosas que tienes que hacer.

…Pero espera, porque aún hay más. Aunque te sientes culpable y un poco indispuesto cada vez que abres el buzón, sigues mirando constantemente si te ha llegado más correo. Dejas cualquier cosa que estés haciendo cincuenta o sesenta veces al día, te desplazas hasta el buzón y lo abres para ver si ha llegado algo más.

Es absurdo, ¿no? Si hicieras esto tu vida sería un caos total y, sin embargo, así es exactamente como la mayoría de personas gestiona su correo electrónico. Es algo caótico, sin reglas o procedimientos que lo controlen. ¿Qué necesitas? Necesitas un sistema.

LA GESTIÓN APROPIADA DEL CORREO ELECTRÓNICO

Hemos de considerar nuevamente nuestro principio de organización fundamental: *Cada cosa en su sitio y cada oveja con su pareja.* La mayoría sabemos ahora que hemos de consignar los eventos, reuniones y citas en el calendario; las tareas y proyectos se administran en nuestro gestor de tareas; y la información es procesada en nuestra herramienta para la gestión de la información. Esto deja al correo electrónico como el lugar para la comunicación, y nada más. El correo electrónico es desastroso como gestor de tareas y terrible como herramienta de programación; solo es tolerable si lo usamos para lo que hace aceptablemente bien, que es la comunicación.

Podemos también utilizar este principio de organización a un nivel más detallado. En este sentido nos dice que la bandeja de entrada del correo electrónico es el lugar de los mensajes no procesados y nada más. La bandeja de entrada no es el lugar adecuado para los mensajes archivados o para los que aguardan nuestra respuesta.

Debes construir un sistema sencillo que te permita controlar tu bandeja de entrada. Tu sistema de correo electrónico puede ser todo lo sencillo o complejo que quieras, pero el método más simple consiste en el uso de cuatro carpetas: una para recibir los mensajes nuevos, otra para guardar aquellos que más adelante responderás, otra en la que pondrás el correo que quieras archivar y otra de elementos eliminados donde tirar el resto. De verdad que puede ser así de simple.

La bandeja de entrada es el lugar para recibir el correo. Sea cual sea el programa que utilices, tendrá una bandeja de entrada incorporada que, posiblemente, ya estará llena de mensajes. Como también necesitarás un lugar donde guardar temporalmente los mensajes que esperan tu respuesta, crea una carpeta o etiqueta llamada Responder. Necesitas un lugar donde archivar los mensajes que quieras guardar y la mayoría de programas de correo electrónico ya tienen también esta función, pero si tu programa no la tiene, crea una carpeta o etiqueta llamada Archivo. Y, finalmente, necesitarás una papelera de reciclaje o carpeta de elementos eliminados.

Resuelta la cuestión de las carpetas, organicemos ahora una dinámica de trabajo.

DINÁMICA DE TRABAJO PARA EL CORREO ELECTRÓNICO

Abre la bandeja de entrada y comienza con el primer mensaje. Ábrelo y decide inmediatamente lo que vas a hacer con él. Tienes algunas opciones:

- *Tirarlo a la papelera.* Si es correo basura o algo irrelevante para ti, bórralo.
- *Archivarlo.* Si es algo que puedas necesitar en el futuro, pero no requiere ninguna acción de tu parte, archívalo (esto puede significar enviarlo a tu carpeta Archivar o dirigirlo a Evernote).

- *Responderlo.* Si puedes responderlo en unos diez o quince segundos con poco esfuerzo mental, hazlo de inmediato.
- *Moverlo a la carpeta Responder.* Si no puedes contestarlo en pocos segundos o si necesitas pensártelo un poco o hacer algo antes, muévelo a la carpeta Responder.

Ahora pasa al siguiente mensaje de la bandeja de entrada, luego al que le sigue, y al otro, etcétera. No te saltes mensajes y no te permitas no hacer nada con alguno de los correos. Cuando hayas terminado no debería quedar ningún correo en tu bandeja de entrada.

Cuando hayas procesado todos tus mensajes y tu bandeja de entrada esté vacía, tienes dos opciones: cerrar el correo electrónico y pasar a otra cosa, o dirigirte a la carpeta Responder para comenzar a contestar los mensajes.

En general, y si tu trabajo te lo permite, es mejor mirar el correo electrónico de vez en cuando que hacerlo constantemente. Siempre que lo mires, procesa todo el correo que haya en tu bandeja de entrada hasta que esta quede vacía.

Permíteme algunos consejos sobre el uso del correo electrónico y tus otras herramientas:

- Cuando un mensaje requiere acciones complicadas antes de responderlo, puedes archivarlo o incluso borrarlo y añadir una tarea a tu gestor de tareas. Una vez que hayas completado la tarea o proyecto en cuestión, puedes buscar el mensaje y responderlo o crear un nuevo mensaje.
- Cuando un mensaje contiene alguna información especialmente importante, considera la posibilidad de añadirlo a tu herramienta para gestión de información. Si utilizas Evernote, te han asignado una dirección de correo electrónico a la que puedes enviar mensajes y estos aparecerán en la

bandeja de entrada correspondiente. Haz esto con cualquier información que te gustaría poder buscar en Evernote.

- Cuando un mensaje contenga un evento, reunión o cita, consígnalo inmediatamente en tu calendario y luego archiva o borra el mensaje.

Este método depende de la función de búsqueda de tu programa de correo electrónico para encontrar mensajes archivados, de modo que cuanto más eficiente sea la búsqueda, más útil será. Por ello suelo recomendar Gmail como un programa de correo electrónico de calidad superior.

Este sistema de gestión de correo electrónico es muy eficiente, pero depende por completo de tu compromiso. Si te comprometes con él, te ejercitas hasta dominarlo y lo integras como un nuevo hábito, transformará y mejorará permanentemente tu relación con el correo electrónico.

VEINTE CONSEJOS PARA AUMENTAR TU PRODUCTIVIDAD

Aquí tienes veinte consejos para aumentar tu productividad.

1. *Sé curioso.* Cuando conozcas a alguien que te parezca especialmente productivo u organizado, pídele algunos consejos. He aprendido mucho leyendo buenos libros, pero aún más preguntando a otras personas cómo administran el tiempo, cómo han desarrollado su sistema y cómo han aprendido a sacar adelante sus tareas.

2. *Planea recitar y recordar.* Utiliza tu software de gestión de tareas para recordarte que debes repasar cosas que has memorizado. Me encanta memorizar textos bíblicos y poéticos y he programado mi software para que me recuerde cada día que he de repasar un poema o pasaje bíblico distinto. Este hábito me ayuda a mantener estos textos frescos en mi mente.

3. *Divide.* Ten cuidado con aquellas tareas que son extremadamente extensas. "Escribir: Una gran novela" es una tarea tan descomunal que quizás nunca la empieces e incluso si lo hicieras, no podrías darle seguimiento a tu progreso. Divide

estas tareas gigantescas en una serie de proyectos más pequeños y ve ocupándote de ellos progresivamente.

4. *Utiliza un gestor de contraseñas.* Hoy día todos tenemos muchas contraseñas que recordar: cuentas de email, Facebook, bancos y para un montón de otras cosas. Un gestor de contraseñas puede ser una herramienta muy útil. Comienza buscando en internet 1Password o LastPass. Estos programas te ayudarán a recordar y a incrementar la seguridad de tus contraseñas.

5. *Utiliza contraseñas seguras.* Una mala contraseña es eso, mala. Si decides que vas a utilizar contraseñas mejores y más seguras les haces la vida exponencialmente más difícil a los delincuentes informáticos. Hay mucho debate sobre lo que constituye una buena contraseña, pero independientemente de tu opinión, una buena contraseña es aquella que protege tu cuenta y que tú puedes recordar. Recomiendo utilizar una cadena de cuatro palabras aleatorias. Esta clase de contraseña es más fácil de recordar que una cadena aleatoria de letras, números y signos de puntuación y en realidad es más segura. Un recurso nemotécnico, quizá una pequeña situación absurda que relacione las cuatro palabras, podría ayudarte a recordar tu nueva contraseña.

6. *Crea una lista de cosas que no debes hacer.* Crea una nota en Evernote que contenga una lista de cosas que no debes hacer. Debería ser una lista de malos hábitos de productividad que estás intentando superar, la cual repasarás cada semana durante tu evaluación semanal. En mi lista de cosas que no debo hacer hay cuestiones como "No beber café después de las 2 p.m.", "No dejar abierto el correo electrónico todo el día" y "No aceptar reuniones en las que no hay un programa o una hora para terminar".

7. *Establece un límite de tiempo para las reuniones.* Las reuniones

tienden a extenderse hasta ocupar todo el tiempo que les asignes. Seguramente te des cuenta de que puedes hacer las mismas cosas en una reunión breve y bien centrada que en otra larga y sin un claro objetivo. Asegúrate de que todos los participantes sepan cuándo comienza y termina la reunión. Comienza y termina puntualmente.

8. *Prioriza tu devocional personal.* Las disciplinas espirituales incentivan la productividad. No eres verdaderamente productivo si te pasas el día haciendo cosas y descuidas tu alma. Ten cuidado de que tu tiempo devocional no se convierta en un elemento más que marcas en tu lista de cosas por hacer.

9. *No realices varias tareas a la vez.* Rara vez es eficiente realizar varias tareas al mismo tiempo, y casi nunca lleva a una mayor productividad. Siempre que sea posible escoge una tarea y termínala antes de pasar a la siguiente.

10. *Cambia mucho de lugar.* A veces un cambio de entorno es tan reparador como el tiempo libre. Si estás haciendo trabajo creativo, intenta ir de una cafetería a otra, cambiando cada dos horas; si normalmente trabajas en la mesa de la cocina, intenta cambiar a otra habitación durante algunas horas. La silenciosa sala de la biblioteca local es uno de mis lugares preferidos para recluirme durante un par de horas cuando tengo que escribir.

11. *Aprende a delegar.* La capacidad de delegar es rara, pero negarte a hacerlo puede robarte el tiempo que podrías invertir en cosas más importantes. Piensa de forma creativa sobre quién podría manejar bien las tareas que te impiden dedicarte a otras cosas. Lo que para ti es un trabajo monótono para otra persona puede ser estimulante y motivador; lo que tú haces de forma mediocre otra persona puede hacerlo con excelencia.

12. *Lleva la cuenta de tu tiempo.* De vez en cuando puede ser muy

útil auditar tu uso del tiempo. Puedes hacerlo a mano, simplemente anotando en un diario los tiempos en que inicias y detienes las tareas, o automáticamente mediante herramientas de software como Toggl o RescueTime. Auditar el tiempo te mostrará cuándo y dónde eres más eficiente y productivo, así como cuándo y dónde tiendes a perder el tiempo.

13. *No dejes abierto el correo electrónico.* Establece periodos específicos durante el día para consultar el email y mantenlo cerrado el resto del tiempo. Para la mayoría de nosotros estaría bien aun si solo lo consultáramos una o dos veces al día.

14. *Planea descansar.* Planea tomarte al menos un día a la semana para descansar de tantas responsabilidades como puedas. Si no haces planes para ese día se te escapará, así que planea cuando será y cómo vas a utilizarlo.

15. *Apaga las notificaciones.* Siempre que puedas apaga las notificaciones de tus dispositivos electrónicos. Posiblemente no necesitas que se te notifique cada vez que recibes un email o que tus amigos actualizan su cuenta de Facebook. Lucha contra la distracción que parece aumentar con cada nueva generación de software y dispositivos.

16. *Escríbelo.* Si no lo escribes posiblemente te olvides. La mayoría de nosotros vivimos con el temor de que muchas de nuestras mejores ideas se han perdido para siempre porque olvidamos escribirlas. Tan pronto como tengas una idea, guárdala en Evernote. Puede ser que tú te olvides, pero Evernote no.

17. *Tómate descansos.* Los descansos pueden parecernos pérdidas de productividad, pero de hecho la mejoran. Planea algunos descansos durante el día y disfrútalos sin remordimientos. Cuanto más ajetreado estés, más importantes serán estos breves des-

cansos. Levántate unos minutos, da una vuelta a la manzana, entra en calor (si en tu entorno laboral hace frío) o refréscate (si hace calor), tómate un café y vuelve de nuevo a tu trabajo.

18. *Rinde cuentas.* Ponte de acuerdo con alguien para que te pregunte regularmente (quizá durante una reunión de equipo) si te mantienes al día con tu sistema de productividad. Tener algo o alguien fuera del sistema que te inste a mantenerlo te ayudará a seguir adelante cuando no te sientas muy motivado.

19. *No envíes correo electrónico innecesario.* Mandar correo electrónico innecesario significa que también lo recibirás. Envíalo con moderación y lo recibirás del mismo modo.

20. *Haz ejercicio.* Sé que no parece lógico, pero a veces lo mejor que puedes hacer para mejorar la productividad es dejar de intentar ser tan productivo y hacer un poco de ejercicio. La productividad abarca todos los aspectos de la vida y requiere todo tu cuerpo y toda tu mente. Es muy importante que apartes tiempo para mantenerte en forma.

NOTAS

1. Derek Kidner, *Proverbs* (Downers Grove: IVP Academic, 1964), pp. 42, 43.
2. C. J. Mahaney, *Biblical Productivity* (Sovereign Grace Ministries, 2010), pp. 1-6.
3. Kevin DeYoung, *Crazy Busy* (Wheaton: Crossway, 2013), p. 32.
4. Greg McKeown, *Esencialismo* (Madrid: Aguilar, 2011), libro electrónico.
5. Ibíd.
6. Randy Alcorn, "A Lesson Hard Learned: Being Content with Saying No to Truly Good Opportunities" (10 de noviembre de 2014), Eternal Perspective Ministries, http://www.epm.org/blog/2014/Nov/10/saying-no (consultado el 24 de enero de 2017).
7. McKeown, *Esencialismo* (libro electrónico).
8. Gene Edward Veith, *The Spirituality of the Cross* (St. Louis: Concordia Publishing, 1999), p. 80.
9. Real Academia Española, *Diccionario de la lengua española*, 23.ª edición (Madrid: Espasa, 2014), "Sistema".
10. R. C. Sproul, "What Does 'Coram Deo' Mean?" (27 de mayo de 2015), Ligonier Ministries, http://www.ligonier.org/blog/what-does-coram-deo-mean/ (consultado el 24 de enero de 2017).
11. Greg McKeown, "If You Don't Prioritize Your Life Someone Else Will" (13 de noviembre de 2014), GregMcKeown.com, http://

gregmckeown.com/blog/if-you-dont-prioritize-your-life-some-one-else-will-harvard-business-review-2/ (consultado el 24 de enero de 2017).

12. Mahaney, *Biblical Productivity*, p. 36.
13. Mahaney, *Biblical Productivity*, p. 13.
14. C. S. Lewis, *The Quotable Lewis* (Wheaton: Tyndale House Publishers, 1989), p. 335; citado en Mahaney, *Biblical Productivity*, p. 34.
15. Mahaney, *Biblical Productivity*, p. 28.
16. Dustin Wax, "Back to Basics: Your Weekly Review", *Lifehack*, http://www.lifehack.org/articles/featured/back-to-basics-your-weekly-review.html (consultado el 24 de enero de 2017).